Le voyage du père

BERNARD CLAVEL — *ŒUVRES*

Romans

LE TONNERRE DE DIEU (QUI M'EMPORTE)	*J'ai lu* 290*
L'OUVRIER DE LA NUIT	
L'ESPAGNOL	*J'ai lu* 309****
MALATAVERNE	*J'ai lu* 324*
LE VOYAGE DU PÈRE	*J'ai lu* 300*
L'HERCULE SUR LA PLACE	*J'ai lu* 333***
L'ESPION AUX YEUX VERTS	*J'ai lu* 499***
LE TAMBOUR DU BIEF	*J'ai lu* 457**
LE SEIGNEUR DU FLEUVE	*J'ai lu* 590***
LE SILENCE DES ARMES	*J'ai lu* 742***
LA BOURRELLE *suivi de* L'IROQUOISE	*J'ai lu* 1164**
L'HOMME DU LABRADOR	*J'ai lu* 1566**

LE ROYAUME DU NORD

HARRICANA	*J'ai lu* 2153****
L'OR DE LA TERRE	*J'ai lu* 2328****
MISÉRÉRÉ	
AMAROK	
L'ANGÉLUS DU SOIR	

LA GRANDE PATIENCE

I. LA MAISON DES AUTRES	*J'ai lu* 522****
II. CELUI QUI VOULAIT VOIR LA MER	*J'ai lu* 523****
III. LE CŒUR DES VIVANTS	*J'ai lu* 524****
IV. LES FRUITS DE L'HIVER *(Prix Goncourt 1968)*	*J'ai lu* 525****

LES COLONNES DU CIEL

I. LA SAISON DES LOUPS	*J'ai lu* 1235***
II. LA LUMIÈRE DU LAC	*J'ai lu* 1306****
III. LA FEMME DE GUERRE	*J'ai lu* 1356***
IV. MARIE BON PAIN	*J'ai lu* 1422***
V. COMPAGNONS DU NOUVEAU-MONDE	*J'ai lu* 1503***

Divers

LE MASSACRE DES INNOCENTS	*J'ai lu* 474*
PIRATES DU RHÔNE	*J'ai lu* 658**
PAUL GAUGUIN	
LÉONARD DE VINCI	
L'ARBRE QUI CHANTE	
VICTOIRE AU MANS	*J'ai lu* 611**
LETTRE À UN KÉPI BLANC	*J'ai lu* D 100*
LE VOYAGE DE LA BOULE DE NEIGE	
ÉCRIT SUR LA NEIGE	*J'ai lu* 916***
LE RHÔNE	
TIENNOT	*J'ai lu* 1099**
L'AMI PIERRE	
LA MAISON DU CANARD BLEU	
BONLIEU OU LE SILENCE DES NYMPHES	
LÉGENDES DES LACS ET DES RIVIÈRES	
LÉGENDES DE LA MER	
LÉGENDES DES MONTAGNES ET DES FORÊTS	
TERRES DE MÉMOIRE	*J'ai lu* 1729**
BERNARD CLAVEL, QUI ÊTES-VOUS ?	*J'ai lu* 1895**

Bernard Clavel

Le voyage du père

Éditions J'ai lu

A Hans Balzer
frère miraculeusement retrouvé,
en souvenir de Carcassonne 1942
et Weimar 1965.

UN MATIN DE DÉCEMBRE

1

Durant plus de huit jours, le ciel avait promis la neige. Tourmentées de bise et de vent d'ouest, les grisailles s'étiraient en voûte basse d'un bord à l'autre de la terre, sans jamais ni s'arrêter ni s'ouvrir sur le ciel. On avait pu croire, un moment, que l'hiver passerait au-dessus du pays, tiraillé de remous mais coulant comme un large fleuve triste d'où ne tombait que la plainte du vent. Et puis, le soir du 22 décembre, une petite heure avant la nuit, la bise avait apporté les premiers flocons. Des flocons minuscules, à peine blancs, pareils à ce grésil de printemps qui court longtemps au ras du sol avant d'aller se nicher au creux des sillons. A mesure que descendait le crépuscule, les flocons avaient grossi, serré la trame de leur voile jusqu'à faire disparaître même la vigne des Benots dont les premiers piquets ne sont pas à plus de cent mètres de la maison. Il y avait eu, très vite, ces longs serpents clairs qui, dès les débuts de neige, marquent l'endroit où se formeront les congères.

Et puis la nuit.

L'obscurité sur cet univers blanc qui ensevelissait

la terre. L'univers blanc plongé dans la nuit labourée de rafales, déchirée de longs sifflements.

De son lit, Quantin avait écouté longtemps sans pouvoir s'endormir. Et ce matin, avant même de nettoyer l'écurie, il avait tracé les chemins.

Tout était terminé. Le travail des bêtes, le bois pour la journée empilé derrière la cuisinière, et l'hiver installé, qui vous garde enfermé pour le temps que tiendra la neige.

Quantin avait essuyé d'un tranchant de main la buée d'une vitre et regardait l'hiver. Il se tenait debout, immobile, dans le chaud de la grande cuisine toute pleine de l'odeur des pommes de terre et du son Derrière lui, il entendait sa femme, Isabelle, préparer les pâtées des lapins et des cochons. Il reconnaissait le son fêlé de la marmite basculant sur la pierre d'évier. C'était la plus grande, celle qui s'était fendue après les vendanges et qu'il avait dû cercler d'un gros fil de fer. Il n'entendait pas Denise, mais il savait qu'elle était là aussi. Elle était assise devant la table. Son bol devait être encore à moitié plein du lait tiède où elle avait trempé ses tartines. Elle ne buvait pas. Elle regardait fixement la crèche installée dans la gueule de l'ancien four à pain.

Deux merles tombèrent du toit sur la neige de la cour, et Quantin eut presque un sursaut. Les oiseaux se chamaillèrent un moment, puis le plus gros s'envola vers le chemin. Quantin le suivit des yeux jusqu'à ce qu'il eût disparu derrière la réserve à maïs. La neige avait dû tomber de bise toute la nuit car le grillage de la réserve était une épaisse dentelle blanche. C'était sans doute l'aube qui avait tué le vent et la neige du même coup. Tout était gris et blanc excepté les sentiers que Quantin avait tracés et le tas de fumier d'où s'élevait une buée plus claire que le ciel épais.

La lumière montait du sol et éclairait le plafond bas de la cuisine, au-dessus de la fenêtre. Mais le jour demeurait terne. Il resterait ainsi. Quantin le savait. Il connaissait ce temps qui dure. Ces ciels qui pèsent sur la terre au point de se confondre avec elle, d'attirer l'horizon jusqu'au bois des Moulates que brouillent des frottis de cendre.

Le bois, ce matin-là, il fallait presque le deviner. Tout commençait à se confondre par-delà une énorme congère barrant le chemin qui descend au village. Même les vignes étaient comme absorbées par cette bande indistincte où se mêlaient le bas du ciel et le haut des collines.

Quantin cessa de regarder l'horizon pour suivre le vol des merles qui, à présent, étaient à se disputer quelques grains tombés de la réserve. Les merles s'envolèrent, et, lorsque Quantin reporta son regard vers le bois, il remarqua un point sombre, à peine mobile, et qui semblait suspendu entre ciel et neige. Quantin s'approcha de la vitre. Il était impossible de reconnaître l'homme qui montait le chemin, mais Quantin comprit tout de suite qu'il s'agissait de l'instituteur. L'heure du facteur était encore loin, et seul l'instituteur pouvait monter par ce temps. Quantin l'observa quelques minutes puis, avant même que ne fût reconnaissable la longue silhouette efflanquée du garçon, sans bien savoir pourquoi, il se retourna lentement et s'éloigna de la fenêtre.

Denise n'avait pas bougé. Son lait fumait encore un peu. En passant devant elle, Quantin dit à voix basse :

— Dépêche-toi, mon petit.

Isabelle n'avait pu comprendre. Pourtant, sans se

retourner, sans interrompre sa besogne, elle se mit à crier :

— Tu peux toujours causer, tu sais bien que tu perds ton temps. Ça porte dans le vide ! Avec elle, y a rien à faire. Rien de rien. Même pour manger, faut qu'elle traînasse. Elle a la paresse dans le sang. C'est pire qu'une maladie. Et tu le sais bien. Aussi bien que moi.

Quantin savait tout cela. Comme il savait aussi ce que sa femme répondrait s'il tentait de prendre la défense de la petite. Et pourtant, il dit lentement :

— Mais non, ce n'est pas de la paresse. Il faut lui laisser...

Criant plus fort, Isabelle l'interrompit :

— Bien sûr, tu lui donnes raison. Tu as toujours fait comme ça. Comment veux-tu que j'en obtienne quelque chose, moi, dans ces conditions-là ? Tu sais pourtant bien que c'est pas une question de travail. Ce que j'en dis, c'est uniquement pour son bien. Pour qu'elle s'habitue. Pour qu'elle arrive à sortir un peu de sa mollesse. Toi non plus, par ce temps, tu n'as rien qui te bouscule, c'est pas pour autant que tu vas mettre une heure de plus à soigner tes bêtes. Seulement, question de dresser cette gosse...

S'arrêtant de besogner, elle s'était retournée à demi, pour continuer de parler. Sa main droite demeurait plantée dans la marmite, tandis que la gauche, toute engluée de pâtée et jaune de son, dessinait sur le fond d'ombre des zigzags de buée. Découragée par le silence de Quantin, elle se retourna soudain, haussant les épaules, et reprit son travail. Son dos maigre était animé comme par une danse lente et saccadée, sa tête au chignon châtain tout semé de fils blancs allait de droite à gauche, étirant sa nuque maigre où une vertèbre tendait la peau hâlée.

Denise buvait à longs traits, le visage à demi caché par son bol blanc à fleurs rouges qu'elle tenait à deux mains. Lorsqu'elle l'eut reposé, elle essuya sa bouche du coin de son tablier et regarda son père. Elle semblait lui demander si elle avait bu assez vite. Quantin sourit, et le visage de la petite s'éclaira.

Quantin pensa à l'instituteur. Il l'imagina, levant très haut ses longues jambes maigres, hésitant devant les congères, louvoyant d'un talus à l'autre. Il eut envie, un instant, de retourner vers la fenêtre, mais il se contraignit à rester devant la table, le dos à l'ancien four.

Comme Denise ne bougeait pas, le regard toujours fixé sur lui, son sourire figé éclairant à demi son visage rond, il lui fit signe de se hâter. Elle se leva, porta sur l'évier son bol et sa cuillère, alla ranger le pain et revint vers la table avec le torchon. Quantin suivait des yeux chacun de ses mouvements. Elle commença d'essuyer la toile cirée à coups réguliers et rapides, puis, peu à peu, son geste se ralentit, suivant le dessin des bouquets de pivoines. Une fois qu'elle eut rassemblé les miettes en un petit tas bien propre, elle les fit couler doucement dans sa main en corolle, pour les porter ensuite dans la pâtée que sa mère achevait de pétrir.

— Si tu es enfin prête, grogna Isabelle, va chercher les deux paniers de betteraves que j'ai préparés dans la resserre, sous le fruitier... Et tu mettras un fichu sur ton dos.

Denise, qui s'éloignait assez vite, s'arrêta soudain devant la fenêtre. Se haussant sur la pointe des pieds pour regarder par la vitre que son père avait nettoyée, elle dit :

— Il y a quelqu'un qui monte le chemin.

Elle marqua un temps, puis, d'une voix un peu moins assurée, elle ajouta :

— C'est pas Marie-Louise, c'est l'instituteur.

Au rire aigre de sa femme, Quantin comprit qu'elle allait se mettre en colère.

— Bien sûr, cria-t-elle, que c'est l'instituteur ! Qui veux-tu que ce soit ? Ta sœur ne peut pas arriver à neuf heures du matin. Tu sais bien qu'il n'y a pas de train à cette heure-là... Allons, dépêche-toi d'aller me chercher mes paniers.

La petite s'éloigna comme à regret de la fenêtre, et sortit par la porte qui donne directement sur le cellier. Sans se retourner, sa mère continua :

— Celui-là, tout de même, c'est quelque chose ! Faudrait pour le moins un mètre de bouse sur la route pour l'empêcher de venir ! Et encore, c'est pas sûr...

Elle venait de laver ses mains maigres, rougies par la pâtée brûlante, et vint les essuyer au torchon pendu à la barre du fourneau. Pointant son menton vers la porte, elle lança encore :

— Il est en vacances, alors, nous allons l'avoir sur le dos à longueur de journées. Et surtout quand notre Marie-Louise sera là. C'était à prévoir. Mais moi, je ne veux pas de ça. (Elle regarda Quantin.) Tu entends ? Je ne veux pas de ça. Pour une fois que je peux avoir ma fille, je veux qu'on reste entre nous. Faudra t'arranger pour lui faire comprendre. Tu entends ? Si tu ne veux pas t'en charger, je le ferai, moi. Et sans me gêner, encore !

Quantin s'approcha de la fenêtre. L'instituteur n'avait pas encore atteint le tournant. Il montait lentement, précédé par le petit nuage de sa respiration précipitée. Derrière Quantin, Isabelle continuait ses cris et ses ricanements :

— Tu peux regarder ; il serait devant la porte, et même dans la pièce, que ça ne m'empêcherait pas de parler.

Presque timidement, Quantin dit :

— Tu devrais pourtant bien comprendre...

Une fois de plus, elle l'interrompit :

— Comprendre ? Mais c'est lui, qui devrait avoir compris depuis longtemps, s'il avait pour deux sous de jugeote ! Quand je pense qu'un garçon si borné a pu devenir instituteur, ca me dépasse, moi !

Elle avait décroché une veste de laine, qu'elle se mit à enfiler à gestes nerveux. Tout son corps très sec s'articulait comme si la colère l'eût électrisé.

— En tout cas, ajouta-t-elle, personne ne peut prétendre que c'est moi qui cherche à l'attirer.

Quantin eut un hochement de tête et un sourire amer pour murmurer :

— C'est le moins qu'on puisse dire.

Isabelle, qui se dirigeait déjà vers la porte, fit soudain volte-face. Cette simple phrase avait suffi pour que sa colère s'orientât vers Quantin. D'une voix sifflante, elle lança :

— Et si tu avais fait comme moi dès le début, il y a belle lurette qu'on en serait débarrassé !

Comme l'instituteur allait entrer dans la cour, Quantin dit très vite :

— Je t'en prie, ne crie pas. Je lui dirai. Je te promets de lui dire, mais tais-toi.

Denise revenait, portant ses deux paniers. Leur poids, au bout de ses bras, tirait ses épaules en arrière, et sa poitrine déjà forte tendait le devant de sa blouse, déformant les carreaux bleus et blancs du tissu. Elle posa les paniers pour jeter sur sa tête un grand châle de laine rouge qu'elle serra sous son menton avec une épingle de nourrice.

Sans le flou de ses cheveux châtains, son visage paraissait encore plus rond et plus plein. Ses yeux d'un bleu indéfinissable fixaient la porte. Comme Isabelle s'apprêtait à ouvrir, les semelles de l'instituteur battirent le seuil de pierre. Il y eut un temps de silence, puis quatre coups frappés à la porte. Denise eut un léger mouvement en avant de la tête et du buste, puis elle demeura immobile, la bouche entrouverte. Les lèvres pincées sur sa colère, Isabelle regardait Quantin qui hésita quelques instants avant de crier :

— Entrez !

La porte s'ouvrit lentement, et l'instituteur n'avait pas encore ébauché un pas que déjà Isabelle glapissait :

— Est-ce que vous avez bien nettoyé vos pieds, oui ?

Comme le garçon hésitait, elle reprit, avec autant de hargne :

— Alors c'est bien, entrez vite, vous me gelez toute ma cuisine. On ne paye peut-être pas le bois, nous autres, mais il est assez cher à la peine pour qu'on l'économise. Vous, on voit bien que vous ne savez pas ce qu'il en est. C'est la commune qui vous fournit le chauffage, alors vous auriez tort de vous fatiguer...

L'instituteur entra, décontenancé, et demeura sans un geste, tout près de la porte. Quantin s'avança pour lui serrer la main.

Comme Denise s'approchait aussi, l'instituteur lui sourit en demandant :

— Comment allez-vous, mon petit ?

Denise rougit. Tout son visage se tendit dans l'effort qu'elle faisait pour préparer sa réponse et surmonter son trouble. Quantin, qui l'observait, comprit qu'elle était sur le point de répondre au moment où sa mère intervint :

— Denise va très bien, trancha-t-elle. Tout le monde ici va très bien, même les bêtes. Seulement les bêtes, elles ont faim, et nous autres, on n'a pas le temps de tailler la bavette. Nous avons notre ouvrage, et c'est lui qui commande. Les vacances on sait pas ce que c'est, on en entend causer, mais c'est tout. Allons Denise, dépêche-toi un peu !

Tout en parlant, elle avait ouvert la porte et empoigné ses marmites fumantes ; Denise prit les paniers, et Quantin les regarda s'éloigner toutes deux vers la grange.

2

Restés seuls, les deux hommes demeurèrent face à face, à trois pas de la porte. Beaucoup plus grand que Quantin, l'instituteur se tenait un peu cassé en avant. Sa tête se balançait lentement au bout de son cou trop mince, ses genoux, pas tout à fait tendus, paraissaient avoir peine à porter le reste de son corps. Ses mains trop blanches ébauchèrent quelques gestes qu'elles n'achevèrent pas. Ses yeux clairs étaient pleins de larmes, et il tira son mouchoir en disant :

— La chaleur après le froid me fait toujours pleurer.

— Moi aussi.

Quantin le regardait essuyer ses pommettes trop saillantes et son long nez pointu que la course avait rougi. Il se moucha, s'essuya encore, puis les deux hommes retrouvèrent leur immobilité. Seules les mains de l'instituteur se levaient encore de loin en loin pour retomber, comme épuisées par ces mouvements à peine amorcés.

Les minutes coulaient. Quantin avait entendu se refermer la porte de la grange.

Le silence reprenait possession de tout. Il était là, entre eux ; il était dehors aussi, tout autour de la maison ; et il s'étendait peut-être jusqu'au fond de la plaine, bien plus loin que les brumes qui limitaient la vue. Sans tourner la tête, Quantin voyait le jour couler tristement dans la cuisine, tamisé encore par l'opacité des vitres embuées.

— Venez vous asseoir un moment près du feu, dit-il enfin.

L'instituteur toussa, et parut chercher une réponse.

Ses mains montèrent jusqu'à hauteur de sa poitrine, et s'écartèrent avant de redescendre lentement, un peu comme de larges feuilles mortes.

— Je ne voudrais pas vous déranger, fit-il. Si vous avez à faire...

— Par ce temps, vous savez...

— Bien sûr... Remarquez, c'est un temps de saison.

— S'il arrive que les saisons ne se fassent pas, ce n'est pas le cas cette année. Nous avions déjà eu du froid, et cette neige de novembre qui a tout de même tenu plus de dix jours.

— C'est exact. Et il en tombera encore. Le ciel

est pris. Complètement pris. Cette neige ne partira pas vite, elle en attend d'autre.

Ils s'étaient assis face à face, entre la table et la cuisinière. Ils se regardèrent un moment en silence. Le feu ronronnait à peine, avec, de loin en loin, un claquement sec et le jet d'une étincelle entre deux barreaux de la grille. Quantin sentait que leur conversation pouvait reprendre sur ce thème de l'hiver, et se prolonger toute la matinée. Il avait envie de parler d'autre chose, mais il remarqua encore :

— Vous savez, lorsque les saisons se font bien, tout est plus facile.

— C'est naturel, dit l'instituteur. C'est la nature. On a beau faire, on ne change rien, dans ce domaine.

L'instituteur se tut. A l'inclinaison de sa tête, Quantin comprit qu'il s'était mis à fixer la marque brune que le fer à repasser avait laissée sur la toile cirée. Pourtant, avant que son regard ne lui échappe, il avait cru y lire presque de la détresse. Lui non plus ne devait pas pouvoir dire ce qu'il avait apporté jusque-là. Si Quantin ne l'aidait pas, il repartirait comme il était venu. Il referait le long chemin barré de congères. Quantin regarda ses jambes aux genoux pointus et qu'il tenait serrés l'un contre l'autre. Le bas de son pantalon trempé commençait à fumer à la chaleur du foyer. Sur ses cuisses, ses mains restaient allongées, mais elles n'étaient pas en véritable repos. De temps à autre, un doigt se haussait, se pliait à demi, puis un autre, puis un autre encore ; ou bien toute la main, comme soulevée par une vague.

Quantin respira profondément et demanda :

— Vous êtes venu avec un livre ?

— C'est-à-dire... Pas exactement. Je suis monté

pour vous annoncer que le bibliobus ne passera pas cette semaine.

— Forcément, avec les chemins que nous avons.

— Il y a cela, mais il y a surtout les vacances de Noël. Moi, je reste ici, mais de nombreux correspondants locaux s'en vont.

Il s'arrêta un instant, puis, retrouvant le mouvement de ses mains, il se hâta d'ajouter :

— Mais si vous n'avez plus rien à lire, je vous trouverai quelque chose.

— Merci, je n'ai pas encore terminé le dernier... Et puis, vous savez, tant que Marie-Louise sera là, je n'aurai guère le temps de lire. Nous aurons beaucoup de choses à nous raconter.

Quantin avait d'abord parlé lentement, cherchant chaque mot, puis son débit s'était accéléré. Par la pensée, il suivait Isabelle. Elle devait en avoir fini avec les cochons. Elle avait sans doute rejoint la petite dans le fond de la grange, où se trouvent les clapiers. Peut-être avait-elle déjà soigné les lapins logés dans la rangée du haut. Cette mère grise qui a fait ses petits si tard... Les deux femmes allaient revenir avec leurs paniers et leurs marmites vides, Quantin cherchait autre chose à ajouter, lorsque l'instituteur dit très bas, d'une voix attristée :

— Enfin, si vous avez besoin d'un livre, vous me le ferez savoir. Je trouverai toujours quelque chose à vous monter.

Quantin savait ce qu'il devait dire. Les mots étaient là, en lui, peut-être à son insu, préparés depuis le moment où le tout petit point noir était apparu, encore englué dans la brume du bois des Moulates. Ils se regardèrent, et, presque en même temps, ils se mirent à sourire. Alors, tout naturellement, Quantin expliqua :

— Eh bien, c'est ça. Vous chercherez quelque chose que je ne connais pas, et vous m'apporterez ça. Vous pourrez monter après demain, par exemple, dans l'après-midi.

L'instituteur sourit davantage, puis, plissant soudain le front, il regarda un instant vers la porte, parut aussi tendre l'oreille avant de dire :

— Mme Quantin a l'air un peu fâchée.

— On n'y peut rien. Il faut en prendre son parti. Ce n'est jamais bien méchant, vous savez. Avec moi aussi, elle est toujours en train de grogner. C'est sa vie ; il faut qu'elle grogne. Et depuis le temps que ça dure, je m'y suis habitué. Ça fait également partie de ma vie, de l'écouter.

Quantin avait parlé sur le ton de la plaisanterie et l'instituteur, un moment inquiet, retrouva son sourire. Il quitta sa position figée pour s'accouder à la table, laissant son regard aller du foyer rougeoyant à la fenêtre glacée.

Le silence n'avait plus la même densité. Le feu y avait trouvé sa place, éloignant l'hiver. Maintenant, Quantin se sentait bien, en face de ce grand garçon emprunté. Il leur arrivait souvent de rester ainsi, à se regarder sans mot dire, chacun avec sa pensée. Et puis, soudain, un mot venait entre eux, un titre de livre, un événement de l'histoire ou de l'actualité, et ils se mettaient à parler. Quantin aimait ces conversations, mais il aimait presque autant les longs silences qui les précédaient. C'est-à-dire qu'il les aimait d'une autre manière ; comme on peut aimer à la fois l'ombre et le soleil. Il avait besoin de ces échanges, mais il avait besoin aussi de ce silence où il n'était plus seul. Tout n'était pas absolument clair en lui, mais il sentait que ce silence était réellement un lien entre l'instituteur et lui. Pour s'en assurer, il pensait aux autres hommes qui s'étaient assis à la même place, en face de lui, et au silence qui, bien souvent, les avait séparés de lui.

Il n'essayait plus de deviner ce que pouvait penser l'instituteur. C'était sans importance. Ce qui comptait, c'était de le tenir là ; d'être certain qu'il faisait réellement partie d'un moment de la vie où Quantin aussi se sentait heureux. Un moment de la vie où ils avaient tous deux leur place.

Le jour demeurait gris, mais le froid s'arrêtait vraiment à la fenêtre.

Quantin remarqua que l'instituteur regardait le buffet où se trouvait la photographie de Marie-Louise. Il devait penser à elle, bien sûr, et l'imaginer ici. Il voyait sans doute son arrivée. La joie de tous les Quantin. Ils allaient être là, réunis tous les quatre pour un Noël heureux et tiède. Et lui, l'instituteur, resterait seul dans sa chambre, au-dessus des salles de classe désertes. Il serait loin de la maison. Perdu dans cet hiver qui était tout autour et qui semblait n'avoir ménagé qu'ici un petit coin de chaleur.

Quantin cherchait un moyen d'engager de nouveau la conversation et de parler tout de suite de Marie-Louise. Tout à l'heure, il s'était tu avec le sentiment qu'ils n'avaient plus rien à se dire pour ce matin. Il avait pensé que le silence partagé leur apporterait davantage que les mots, mais il s'apercevait qu'il n'avait rien dit de Marie-Louise. Rien, ou presque rien, et sans même prononcer son nom. Il le sentait, et cela l'empêchait de trouver le premier mot.

Son regard rencontra celui de l'instituteur, et il eut la certitude qu'une fois de plus, ils se retrouvaient. Ils livraient tous deux le même combat à la recherche d'un mot. Ce fut l'instituteur qui parla le premier.

— Ce soir, est-ce que vous irez attendre Mlle Marie-Louise à la gare ?

Il avait prononcé très fort le début de sa phrase. Puis, comme effrayé d'avoir si brutalement déchiré le calme, il avait baissé le ton jusqu'à finir dans un murmure.

Quantin répondit, presque à voix basse :

— Bien sûr, avec des chemins pareils, elle ne peut pas monter seule. Je descendrai lui porter des bottes, elle ne doit avoir que des chaussures de ville.

— Si j'osais, monsieur Quantin... Si j'osais...

Comme il se taisait, Quantin se mit à rire et acheva pour lui :

— Si j'osais, j'irais avec vous.

Le visage de l'instituteur, qui avait retrouvé sa pâleur habituelle, s'empourpra tandis qu'il bredouillait :

— Enfin, je pense que vous descendrez seul.

— Bien entendu. Vous n'avez qu'à vous trouver à la gare ; vous pourrez toujours nous accompagner un petit bout de chemin.

— Monsieur Quantin, vous êtes... Je vous remercie...

Il n'eut pas le temps d'achever. La porte de la grange claqua et Quantin, comme s'il eût obéi à un signal donné, se leva pour aller prendre un livre sur la petite table, à côté du four.

— Ne bougez pas, dit-il.

Il revint s'asseoir, posa le livre sur la table, puis, comme les femmes entraient, il dit d'une voix qui avait peine à trouver un ton naturel :

— J'aurais dû vous le rendre jeudi dernier en descendant au marché, mais je l'ai oublié. J'y ai pensé en route, seulement c'était un peu tard pour remonter.

— Ça ne fait rien.

— Mais je vous ai obligé à venir jusqu'ici, et avec cette neige, le chemin n'est pas agréable.

Au regard qu'Isabelle lui lança, Quantin comprit qu'elle n'était pas dupe. Il redouta un instant sa colère, mais elle se contenta de hausser les épaules avant de s'éloigner vers son évier. L'instituteur n'avait rien remarqué. Il continua d'expliquer qu'il trouvait beaucoup de plaisir à marcher dans la neige. Sans se retourner, Isabelle grogna :

— Eh bien, au moins, il est servi !

Elle grommela encore autre chose, mais le vacarme qu'elle faisait en lavant sa marmite empêcha les hommes de comprendre. Quantin s'efforçait de sourire. Denise était venue se planter à quatre pas d'eux. Les mains dans son dos, le visage baissé et le regard au ras des sourcils, elle dévisageait l'instituteur. En la voyant ainsi, Quantin éprouva un malaise indéfinissable. Ce n'était pas la première fois qu'il remarquait ces regards de la petite, mais il n'aimait pas y penser. Au début, il s'était dit que Denise était impressionnée parce qu'il était maître d'école. Denise n'avait jamais eu de facilité pour étudier, et sa timidité l'avait beaucoup gênée. Pour elle, un maître d'école avait certainement quelque chose d'étrange, surtout ici, dans sa propre maison. Et puis, celui-là était un visage inconnu, un être très différent du maître qu'elle avait toujours eu à l'école. Quantin s'était souvent répété cela, et il n'y pensait même plus. La façon que Denise avait de regarder l'instituteur était de ces choses inexplicables, qu'il faut admettre même si elles sont pénibles.

Derrière Quantin, Isabelle continuait à faire énormément de bruit avec ses casseroles et un bidon qu'elle traînait sur la pierre d'évier. Il y eut un moment pareil à ces jours d'été où l'on voit passer un orage très loin, au-dessus de la plaine, en se demandant vers quelle contrée le vent va le pousser.

Le bruit s'arrêta enfin, et Isabelle traversa la cuisine, portant un broc d'eau chaude et son panier à œufs. Avant de sortir, elle cria :

— Denise, ne reste pas plantée là comme un échalas ! Va laver les bols et tu éplucheras des pommes pour la compote.

Tourné vers Isabelle, l'instituteur se leva en disant :

— Il faut que je parte.

Mais la porte claqua au beau milieu de sa phrase. Il marqua une hésitation. Sa main qui se levait déjà en direction de Quantin, ondula sur place avant de retomber. Se dirigeant vers le four, il demanda :

— C'est vous, Denise, qui avez fait cette crèche ?

— Oui, m'sieur, avec maman.

Le visage de la petite s'était éclairé. Elle se mit à sourire, en le rejoignant. Cassé en deux, il examina l'intérieur assez longuement, puis il souleva une branche de sapin en disant :

— C'est joli. C'est vraiment très joli, vous savez.

Comme Denise restait sans voix, Quantin s'approcha pour expliquer :

— Elles ont voulu faire une surprise à Marie-Louise. C'est sa crèche, vous comprenez ? Quand elle était ici, c'était une de ses plus grandes joies, de faire cette crèche. Elle commençait d'en parler au moins deux mois avant le temps de Noël. L'autre jour, je suis allé fagoter sur la côte des Rubeaux, alors j'ai coupé ces deux branches de sapin.

L'instituteur s'était redressé. Son regard heureux allait de la crèche à Denise. Plusieurs fois, il se porta aussi sur le portrait de Marie-Louise.

— C'est une fameuse idée, dit-il, d'avoir installé cette crèche dans cette gueule de four.

Denise retrouva sa voix pour dire :

— Et ça s'allume, dedans. Faut brancher la prise.

La petite se baissa pour établir le contact, et l'ampoule enveloppée de papier rose éclaira le fond de la crèche fait de deux grosses bûches de frêne. L'instituteur se pencha de nouveau et recommença de tout examiner en poussant des petits cris d'admiration. Quantin s'éloigna. Il était contrarié de voir que l'instituteur traitait un peu Denise comme une fillette de dix ans. Denise avait dix-sept ans. Elle était timide au point d'en être paralysée devant certaines personnes, mais ce n'était pas une raison pour la croire simple. Il eut un instant envie de le dire, mais ce n'était pas possible. Il y avait Denise, et puis de toute façon, il y a des mots qu'on ne trouve pas facilement. Quantin fixait le dos étroit et voûté du garçon, et il savait que même lorsqu'ils n'étaient pas d'accord, même quand l'instituteur l'agaçait, il ne pouvait pas le blesser. C'était ainsi. Il ne fallait pas chercher à l'expliquer. Ce n'était ni à cause de Marie-Louise ni à cause de ce qu'il y avait de tristesse chez ce garçon. Peut-être les deux à la fois, mais autre chose aussi, et pour une part plus grande, semblait-il. Mais ce n'était pas commode à démêler.

L'instituteur se déplia lentement, reprenant sa taille et laissant de nouveau flotter ses mains librement au bout de ses manches.

— Mlle Marie-Louise, dit-il, est très sensible à toutes ces choses.

— Elle l'était, fit spontanément Quantin qui se tut aussitôt.

Le visage de l'instituteur s'assombrit. Il demanda :

— Vous voulez dire...

Comme il hésitait, Quantin expliqua :

— Je veux dire que... Enfin, j'espère qu'elle l'est toujours. Seulement, on se voit si peu souvent ! Mais lorsqu'elle était petite, nous ne faisions pas encore la crèche dans le four. On prenait une boîte en carton, on la découpait, et on lui mettait un toit de paille. Et chaque fois, quand c'était terminé, Marie-Louise me répétait qu'elle voulait vivre dans une maison comme sa crèche. Elle voulait juste une toute petite fenêtre pour s'asseoir devant et regarder tomber la neige... Elle me disait ça. Et quand il neigeait vraiment, il lui arrivait de rester des heures et des heures près de la fenêtre, à regarder tomber la neige... Des heures sans un geste, sans un mot.

Lorsque Quantin s'arrêta de parler, le silence parut différent de ce qu'il avait été jusqu'alors, chaque fois que les hommes s'étaient tus. Un peu comme si un silence venu du temps qu'évoquait Quantin se fût ajouté à celui d'aujourd'hui. Un silence semblable, un silence d'hiver aussi, avec son poids de neige et de ciel, mais avec une autre présence encore.

Il y eut ainsi un long moment très dense, avec le poids de leurs regards qui n'osaient plus se déplacer dans la pièce. Quantin avait parlé à voix basse, et ce fut également très bas que le garçon demanda :

— Vraiment, vous redoutez qu'elle ne soit plus la même ?

Quantin était embarrassé. Est-ce qu'il pouvait savoir ? Pouvait-on réellement deviner ce qu'était devenue Marie-Louise à travers de simples lettres ?

— Quand elle écrit, tenta-t-il d'expliquer, il est bien malaisé de savoir ce qu'elle penserait de tout ça. Pour le moment, elle nous parle surtout de sa situation. De ce départ possible pour Paris.

Chaque fois que Quantin s'interrompait, l'instituteur hochait la tête en disant :

— Bien sûr, bien sûr.

Et lorsque Quantin s'arrêta, le garçon respira profondément comme un homme qui a quelque chose de très difficile à dire. Il parla pourtant sans hésiter, mais d'une voix peut-être un peu dure :

— Vous savez qu'après les vacances, je lui ai écrit plusieurs fois... Elle me répondait. Pas très longuement, mais enfin elle répondait...

Il baissa les yeux et soupira encore.

— Et alors, demanda Quantin, elle ne vous écrit plus ?

— Je n'ai rien reçu depuis plus de deux mois.

Denise écoutait, tout le visage tendu, avec dans les yeux, une lueur qui s'éteignit soudain, au moment où la mère entrait.

Quantin toussa très fort, l'instituteur fit un pas vers la porte en disant :

— Je vais m'en aller... Je ne veux pas vous déranger plus longtemps... Au revoir, monsieur Quantin... Au revoir...

Isabelle était entrée, mais elle tenait la porte qu'elle n'avait pas refermée complètement. Dès que l'instituteur arriva vers elle, elle l'ouvrit largement sur une bouffée d'hiver. Avant de sortir, avec un mouvement emprunté, l'instituteur se retourna pour les saluer tous en disant :

— Au revoir... Je vous souhaite un bon Noël.

3

— Bon Noël et bonne route ! Que le vent vous gèle et que le cul vous pèle !

Isabelle cria cela très fort en regardant la porte que l'instituteur venait à peine de fermer derrière lui.

Quantin eut envie de lui dire qu'elle dépassait la mesure, mais il avait trop besoin de silence pour prononcer un seul mot qui risquât d'exciter sa femme. Il espérait qu'elle en resterait là, et il le crut vraiment tout le temps qu'elle mit à porter le broc vide vers l'évier et son panier d'œufs dans le cellier. Mais, lorsqu'elle revint, il eut le tort de la regarder, de lui offrir son regard où elle devait lire la moindre de ses pensées. Il le regretta aussitôt et lui tourna le dos pour marcher vers la fenêtre. Il avait à peine fait deux pas que le ricanement d'Isabelle commençait. Imitant l'instituteur, elle se mit à dire :

— Moi j'aime bien la neige... C'est agréable, la neige. J'aime marcher dedans... Nein, nein, nein, nein... Pauvre imbécile et dans la merde, tu y marcherais ?... S'il était obligé de patauger comme nous pour faire son ouvrage, il ne mettrait pas longtemps pour changer d'avis. Seulement, avec le métier de fainéant qu'il a, et une pareille couche de bêtise...

Quantin serrait les dents. C'était la première fois qu'Isabelle allait aussi loin. Déjà, lorsque l'instituteur était arrivé, il avait redouté un incident. Il fallait que le garçon fût patient, pour admettre cela. Pour se laisser traiter ainsi, car il avait entendu.

C'était certain. Bien sûr il y avait Marie-Louise. A cause d'elle, il devait être capable de tout endurer. Il n'était pas lâche. Ça se voyait à son regard. Il avait une certaine fierté, mais aussi quelque chose que Quantin comparait à l'expression des martyrs, tels que les représente l'image des catéchismes. Quantin s'efforça longtemps de contenir sa colère, puis, se retournant brusquement, il lança :

— Tais-toi ! Je trouve que tu exagères !

Sur le coup, Isabelle parut interdite. Son visage maigre s'était crispé et sa paupière gauche, se fermant à demi sur son œil brun, accentuait encore la lueur dure du regard. Peu à peu, l'expression de son visage se métamorphosa en un faux sourire. Ses lèvres minces s'entrouvrirent jusqu'à laisser voir le trou noir que fait l'emplacement de la canine qui lui manque. Son ricanement grinça, annonçant qu'elle s'était déjà reprise :

— Evidemment, dit-elle, il est instituteur. Ins-ti-tuteur, ça suffit pour qu'on n'ait pas le droit d'y toucher. Et ça suffit aussi à nous prouver qu'il est intelligent. (Le ton monta.) Eh bien, non ! Moi je ne marche pas ! Tu m'agaces, avec tes foutaises ! Parce que tu avais rêvé d'être instituteur, tu ne vois rien de plus beau. Tu en baves. Ça t'éblouit au point de t'enlever toute jugeote. Pensez donc : instituteur, c'est quelque chose ! Et si ta fille pouvait en épouser un, même le plus stupide de tout le troupeau, tu serais heureux comme un roi !

Elle pouvait continuer longtemps ainsi, Quantin le savait. Il avait maintes fois éprouvé son endurance. Les mots lui venaient comme une eau sort de terre. Mais ses propos ne le touchaient plus. C'était à lui, surtout, qu'ils s'adressaient. Ils n'étaient pas nouveaux. Il avait entendu cela cent fois et il avait pris l'habitude, lorsqu'elle partait ainsi, de la laisser aller sans la contredire. Au bout d'un moment, elle recommença d'insulter l'instituteur et de s'en prendre à ses sentiments pour Marie-Louise. Comme elle insistait, Quantin intervint :

— Tu peux dire ce que tu veux, mais ce mariage serait le meilleur moyen de ramener cette petite près de nous.

Comme fouettée par ces simples mots, Isabelle abandonna son ouvrage et revint vers Quantin. Son attitude était presque menaçante. Sa voix était déformée par la colère :

— Tu devrais avoir honte ! L'enterrement dans un trou, voilà ce que tu souhaites à cette gosse qui s'est donné tant de mal ! Le trou des Quantin ! Le bousier où ils ont vécu depuis je ne sais combien de générations. C'est tout ce que tu as d'ambition pour elle. Elle qui s'est esquintée à en sortir, du bousier ! Mais pour toi, l'ambition, c'est justement ça : le poste d'instituteur ! Et encore, à condition que ce soit ici.

Profitant de ce qu'elle reprenait sa respiration, il essaya de dire :

— Ça vaudrait peut-être mieux pour nous tous. Nous vivons vraiment comme si cette petite était en Amérique. Huit jours de vacances en deux ans, c'est tout de même trop maigre.

Isabelle paraissait un peu moins nerveuse. Toujours dure, mais d'une voix qui avait cessé de trembler, elle répliqua :

— Mais tu sais bien ce qu'elle t'a expliqué : c'est un sacrifice à faire pendant quelques années, ensuite, elle aura une situation comme ton grand dadais ne pourra jamais en avoir, même s'il finit dans la peau d'un inspecteur d'école.

La vibration de sa voix était revenue lorsqu'elle

avait parlé de l'instituteur, mais Quantin avait le sentiment qu'elle le regardait avec une espèce de mauvaise pitié. Elle devait surtout l'estimer trop stupide pour comprendre où se trouvait l'intérêt de sa fille. Trop stupide ou trop égoïste.

— Dans toute cette histoire, dit-il, on fait bon marché de sa santé.

— Est-ce que tu crois que je n'y pense pas ? Est-ce que tu te figures que ça m'amuse de ne jamais voir ma fille ? De ne même pas savoir si elle n'est pas malade ? A t'entendre, on dirait bien que je ne l'aime pas, moi !

Ce dernier mot pouvait exprimer à la fois la colère et la détresse. Elle devait souffrir aussi de l'absence de Marie-Louise, mais cette façon qu'elle avait de toujours crier enlevait toute envie de lui venir en aide, de partager ses peines.

Ce n'était pas la première fois qu'ils se querellaient à ce sujet, mais Quantin s'arrêta vite de répondre. Puisque Marie-Louise allait venir, tout cela était bien inutile. Pourtant, Isabelle ne voulait pas en rester là.

— Surtout, reprit-elle, lorsqu'elle sera ici, je ne veux pas que tu l'embêtes avec cette histoire. Et je ne supporterai pas ce grand benêt chez nous.

Elle revenait toujours à cette idée. Cette visite de l'instituteur l'avait réellement agacée. Elle en parla encore plusieurs fois. Ce qui la mettait le plus en colère, c'était qu'il eût bravé le froid et le mauvais chemin uniquement pour avoir confirmation de l'arrivée de Marie-Louise. Car Isabelle n'avait pas cru un seul instant à cette histoire de livre. Elle le lança au visage de Quantin comme une gifle.

— Tu me prends toujours pour une andouille, dit-elle. Et surtout quand tu es avec celui-là. Pour vous autres, je suis un souillon sans instruction. Je ne lis pas des livres, moi. Et même sans instruction, pour ce qui est de l'avenir de Marie-Louise, le souillon de mère, il voit plus loin que toi.

Quantin ne bronchait pas. Il pensait à cette force de l'instituteur, si frêle d'apparence, si timide et qui pouvait se dominer au point de tout entendre sans se fâcher. Tout, parce qu'il tenait à Marie-Louise. Plus il y pensait, plus il lui semblait injuste que l'instituteur fût méprisé par sa fille. Il n'était pas surpris que Marie-Louise n'aimât pas ce garçon, mais pourquoi lui avoir écrit ? Pourquoi s'arrêter soudain de répondre à ses lettres sans lui donner la moindre explication ? Ce n'était pas de Marie-Louise. Pas de celle qui était partie de chez eux, deux ans plus tôt. Tout cela tournait en lui, et, autour de lui, tournaient les propos d'Isabelle qui ne cessait pas de parler. Elle lui reprochait son égoïsme. Elle trouvait anormal qu'un père pût essayer de garder ses enfants auprès de lui.

— C'était bon il y a un siècle. Je t'ai dit cent fois que tu retardes d'un siècle, toi qui te crois toujours plus malin que les autres.

C'était son grand reproche. Et c'était exact, elle avait bien dû lui rabâcher cela plus de cent fois depuis le départ de Marie-Louise. Et, chaque fois qu'elle parlait ainsi, Quantin avait un peu l'impression d'une toute petite victoire. Elle qui détenait le pouvoir de deviner ce qui se passait en lui lorsqu'ils se chamaillaient, elle n'avait pas encore compris ce qu'il pensait réellement de cela. Lorsqu'il lisait les journaux, lorsqu'il écoutait le poste de radio, lorsqu'il descendait à la foire de Lons-le-Saunier, une fois par mois, lorsqu'il voyait les gens se tuer sur les routes, se battre à mort pour une minute, Quantin était heureux de vivre là. Il pensait à la chance qu'ils avaient d'être loin de la route et même du village et de pouvoir vivre comme avaient vécu ses parents. Pouvoir retarder d'un siècle, c'était peut-être le secret du bonheur. Un siècle plus tôt, une Marie-Louise née ici n'en serait pas partie.

Tout en continuant ses reproches, Isabelle avait vidé sur la table un panier de haricots secs qu'elle commença d'égrener. Quantin vint s'installer en face d'elle et se mit à l'ouvrage. Au bout de la table, Denise épluchait lentement de grosses reinettes grises, dont quelques-unes portaient encore de la terre du verger. Quand Isabelle se taisait le temps de reprendre son souffle, il n'y avait plus, dans la cuisine, que le craquement des cosses sèches et le bruit des grains tombant dans la casserole de fer. De loin en loin, une bûche qui avait du mal à brûler chuintait un peu. Ce devait être un des rondins que Quantin avait pris tout au bout de la pile et que les dernières pluies et la neige avaient mouillés. En écoutant cela, Quantin pensait à Marie-Louise, à ce rêve de son enfance, à cette petite maison bien chaude où elle aimait à s'imaginer, immobile durant des heures au coin de sa fenêtre.

Isabelle parla encore de l'instituteur. Elle revenait à ce qu'il avait dit de la neige. Selon elle, aimer la neige, ou faire semblant de l'aimer, ne pouvait qu'être une preuve de sottise.

— D'ailleurs, finit-elle par dire, il faut bien qu'il soit stupide pour s'être monté le coup ainsi à propos de Marie-Louise.

Timidement, Quantin remarqua :

— Tu dis ça, mais tu ne sais pas exactement ce qu'il y avait entre eux. Ils se sont écrit...

Elle ne le laissa pas poursuivre. Avec un geste tranchant de sa main maigre armée d'une cosse de haricot, elle lança :

— Il n'y a rien entre eux ! Absolument rien ! S'il y avait quelque chose Marie-Louise me l'aurait dit.

Elle n'avait pas crié, mais Quantin s'abstint de répondre. Il eut un moment envie de rire, à cause du haricot qui ressemblait à un ridicule petit sabre dans la main menaçante de sa femme. Il baissa la tête, et Isabelle se tut. Sans doute renonçait-elle à le convaincre, le jugeant incapable de rien comprendre.

Il y eut alors un long moment de calme. La chatte était montée sur les genoux de Quantin qui percevait un ronronnement.

Quantin pensait à Marie-Louise qui allait venir. De loin en loin, sans cesser son travail, il regardait la crèche, puis le feu dans la grosse cuisinière noire ; puis la fenêtre toute embuée où des gouttes traçaient des ruisseaux d'un gris verdâtre. Il regardait, et il se disait que Marie-Louise allait retrouver tout cela, et que lorsqu'elle serait arrivée, ils pourraient vivre tous ensemble un vrai moment de bonheur.

4

Ils avaient presque fini d'égrener les haricots secs, lorsqu'ils entendirent un pas heurter le seuil. La chatte sauta par terre et fila derrière la cuisinière, entre deux cageots de bois. Ils se regardèrent, tous les trois, le geste en suspens. A l'expression de sa femme, Quantin comprit que, comme lui, elle pensait au facteur. Si le facteur montait, c'était peut-être...

C'était lui. Quantin reconnut sa façon de frapper. Avant de répondre, il regarda encore Denise qui fixait la porte, le visage tendu, la bouche entrouverte.

Dès que Quantin eut crié, le facteur entra. Il avait son passe-montagne gris sous son képi bleu. Comme toujours, il lança :

— Salut les Quantin !

Isabelle et Quantin s'étaient levés. Ils restèrent immobiles à côté de leur chaise, tandis que le facteur avançait jusqu'à la table où il posa une lettre en disant :

— Voilà des nouvelles de votre grande.

Quantin alla jusqu'au buffet où il prit le litre de marc et deux verres. Il revint, versa la goutte et demanda :

— Alors, Fernand, le chemin n'est pas trop mauvais ?

— Ici, ça va encore, répondit l'homme, mais dans certains bas-fonds, elle s'est amassée. Ils pourraient tout de même passer le chasse-neige jusque dans les écarts, ce serait pas du luxe !

— Faut le temps.

— Je sais, mais tu peux être tranquille, c'est le Gustave Lambert qui le fait, et il ne risque pas de tuer ses bêtes. Chaque fois que l'occasion se présente de vider un canon, il leur laisse largement le temps de souffler.

Tout en l'écoutant, Quantin regardait l'enveloppe bleue, sur le coin de la table. Isabelle s'en était approchée, mais elle n'y touchait pas. Elle regardait également, tantôt l'enveloppe, tantôt le facteur, et la porte aussi. Personne ne toucherait à cette lettre tant que l'homme serait là. Le facteur but la moitié de son marc, fit claquer sa langue et observa :

— Quand j'ai eu dépassé la scierie, j'ai vu des traces, j'ai dit : tiens, ils ont déjà eu de la visite ce matin. Ou bien c'est Quantin qui est déjà descendu et remonté. Et puis, j'ai mieux regardé : les traces de la descente mordaient sur les autres, alors ça pouvait pas être toi.

— Oui, répondit Quantin, c'est l'instituteur qui est venu chercher un livre.

Le facteur secoua la tête d'un air entendu. Il parut hésiter tandis que son regard allait de la lettre à Quantin, puis à Isabelle et il finit par dire :

— Des fois que vous auriez une commission à lui faire...

— Non, il voulait son livre, il l'a emporté.

Isabelle avait répondu très vite, et sèchement. Le facteur, un peu surpris, vida son verre puis passa le dos de sa main sur sa moustache avant d'enfiler ses mitaines de mouton. Ebauchant son demi-tour, il eut encore un regard pour la lettre et demanda :

— Toujours à Lyon, la Marie-Louise ? Elle est contente, oui ? Le pays lui manque pas trop ?

Ce fut encore Isabelle qui répondit, toujours vive et un peu cassante :

— Elle est contente, oui.

En regagnant le seuil, le facteur eut un geste vague de sa main beige et sans doigts.

— Je l'ai souvent répété, fit-il : cette gamine-là, elle est délurée, elle saura faire son chemin dans la vie. Elle aura besoin de personne... Allons, à la prochaine... Et bon Noël à tous ! Bon Noël !

Quantin le laissa s'éloigner de quelques pas avant de refermer la porte. Le froid entrait largement.

Quantin le sentit couler autour de lui et traverser son tricot de laine. Il frissonna comme si tout l'hiver l'eût soudain pénétré. Lorsqu'il revint vers la table, Isabelle avait déjà pris l'enveloppe et le petit couteau pointu dont Denise s'était servi pour peler ses pommes. Elle essuya la lame sur son tablier avant de l'introduire sous le papier qu'elle se mit à couper soigneusement, à petits coups secs et réguliers. Dans le grand silence, ce tout petit bruit paraissait énorme. Quantin et Denise suivaient les gestes de la mère, et, lorsqu'elle tira la lettre de l'enveloppe, la petite dit :

— Bien sûr, c'est Marie-Louise qui écrit.

Sa voix était neutre, sans joie ni angoisse.

La lettre n'était pas longue. A peine une demi-page que Quantin voyait par transparence. Il eut envie d'aller se placer à côté de sa femme, pour lire en même temps qu'elle, mais quelque chose le retenait ; peut-être tout simplement le calme parfait, l'immobilité de tous.

A mesure qu'Isabelle lisait, son visage se durcissait. Ses lèvres se serraient au point de n'être plus qu'une ride rectiligne traversant son visage. Lorsque sa main retomba, elle leva les yeux vers Quantin en disant :

— Je m'en doutais... Je le sentais... J'aurais pu le dire...

Sourde d'abord, sa voix montait avec un chevrotement pénible. Quantin avait compris. Il avait même tout compris au moment précis où le pas du facteur touchait le seuil. Aux premiers mots de sa femme, il avait pensé qu'elle allait se mettre à pleurer, mais non, sa voix redevenait plus ferme, elle allait crier ; crier beaucoup et très fort en tournant toute sa colère contre lui. Il prit la lettre qu'elle lui tendait d'une main tout agitée de tremblements, puis alla jusqu'à la fenêtre.

— C'était trop beau ! cria-t-elle. Trop beau d'avoir sa fille pour Noël ! Pour une mère, c'est trop demander ! Mais qu'est-ce qu'ils se croient donc, ses patrons ? Ils ont tous les droits, ceux-là ! Ils lui font peut-être une situation, mais à quel prix ! Il y a tout de même des limites, non ! Est-ce qu'on a déjà vu des employés qui aient si peu de liberté ?

Elle parlait encore pour tout le monde. Elle s'en prenait à ces patrons qu'elle ne connaissait pas, mais Quantin savait bien qu'elle en viendrait à lui tôt ou tard. Il avait fini de lire, mais il ne bougeait pas. Il ne levait même pas les yeux de cette feuille de papier bleu où courait, d'un autre bleu, la longue écriture fine et inclinée de sa fille. Elle avait changé, l'écriture de Marie-Louise, depuis les derniers cahiers d'école. Il en avait conservé plusieurs, de ces cahiers, et il les feuilletait chaque fois qu'il montait au grenier. A présent, Marie-Louise avait une écriture de femme.

Quantin ne détacha son regard de la lettre, que lorsqu'il vit, au bord de ses yeux, l'ombre d'Isabelle qui avançait lentement. Il y eut un silence puis, comme leurs regards se rencontraient, Isabelle demanda :

— Bien entendu, toi, tu ne trouves rien à dire ?

C'était à peine une question. Il soupira, écarta un peu ses bras de son corps en haussant les épaules, et murmura seulement :

— Que veux-tu !

— Toi, rien ne te touche. Tout te glisse dessus comme ça ferait ici.

De sa main largement aplatie, elle frotta la toile cirée. Pour faire ce geste, elle s'était penchée exagérément, elle faisait aller sa tête de bas en haut ; tout dans son attitude trahissait l'intention de blesser, de dire plus que les mots ne pouvaient exprimer.

— Evidemment, continua-t-elle en se redressant. Cette gamine est arrivée chez eux toute seule, comme ça, comme une orpheline, sans personne pour la présenter. Pour la défendre. Pour montrer que... Enfin, quoi, ils ont vite compris ! Ils l'exploitent ! C'est la loi du gros qui mange le petit. Et toi, le père, ça ne te fait ni chaud ni froid.

Elle marqua un temps. Peut-être attendait-elle une réponse, mais Quantin demeura muet. Plus cinglante, elle reprit :

— Toi, tu n'as qu'une chose dans la tête : la jeter dans les bras d'un pauvre niais d'instituteur pour la ramener ici et la garder. Qu'elle revienne s'enliser dans le bousier des Quantin et qu'elle ne puisse plus s'en dépêtrer. Tu es prêt à lui faire rater sa vie pour l'avoir définitivement, mais tu ne feras pas un geste pour l'aider à décrocher quatre jours de vacances. Et en plus, elle va partir à Paris pour je ne sais combien de temps. Et nous ne l'aurons même pas revue avant son départ !

Quantin restait debout devant elle, incapable d'articuler le moindre mot. Elle lui avait souvent reproché de ne pas intervenir pour que Marie-Louise obtienne des congés, mais jamais avec une telle violence. Elle lui demandait seulement d'écrire aux patrons, mais il ne l'avait jamais fait parce que Marie-Louise lui avait expliqué que ses patrons risquaient de le prendre fort mal. Pour elle, c'était une question de patience et d'acharnement. Elle devait tenir quelques années, même au prix de gros sacrifices, pour s'assurer un avenir solide. Quantin rêvait toujours de la voir revenir, au fond de lui, il le souhaitait sincèrement, mais il ne se reconnaissait pas le droit de tenter la moindre démarche qui pût nuire à sa fille. Et puis, même s'il n'en parlait jamais, il éprouvait une fierté secrète à la voir ainsi, tenace et ambitieuse. A présent, Isabelle criait comme elle avait fait chaque fois que Marie-Louise avait dû remettre une visite ; pourtant, lorsqu'elle recevait des lettres où la petite parlait de son avenir, on la sentait toute gonflée de fierté. Et puis, déjà depuis plus d'un an, Marie-Louise devait gagner largement sa vie, à en juger par les cadeaux qu'elle envoyait à sa sœur.

Lorsque sa femme cessa de crier, Quantin comprit qu'il devait répondre. Elle le regardait. Tout son visage dur l'interrogeait. Pris de court, il parla d'écrire, se rendant compte aussitôt qu'il allait aviver la colère d'Isabelle. En effet, elle eut un éclat de rire tranchant, avant de crier :

— Pauvre imbécile ! Ecrire. C'est bien le moment ! Et qu'est-ce que tu leur diras ? Tu leur parleras de ce que tu lis dans les livres que te prête l'autre grand serin. Tu leur parleras de tes principes. De ta philosophie. De ton honnêteté. De l'égalité des hommes. Tu leur diras que tu es un paysan. Un homme qui n'a jamais menti, jamais trompé ni volé personne. Et ta lettre arrivera après le départ de la pauvre gosse... Ils l'auront expédiée à Paris sans qu'on ait pu la revoir... Ils te répondront qu'elle y est pour des mois ou quelques années.

Sa voix s'était mise à vibrer. Ses phrases étaient toujours entrecoupées de petits éclats de rire, mais qui avaient quelque chose de plus métallique, de plus forcé et faisaient mal à entendre. Quantin eût aimé répondre, mais les mots ne lui venaient pas. Elle demeura un moment comme épuisée. Ses mains tremblaient, son menton se plissait, tirant sur sa lèvre inférieure. Sans crier, d'une voix à demi étranglée, elle dit encore :

— On ne la verra pas... Elle ne viendra pas... Est-ce que tu peux comprendre ce que ça veut dire, hein ? Est-ce que tu ne penses pas que tu aurais dû te déranger depuis longtemps ?

Sans réfléchir vraiment, Quantin se mit à parler du travail et du temps. C'était ce qu'il ne fallait pas faire. Une fois de plus, la colère d'Isabelle tua son chagrin et les reproches continuèrent.

— Depuis que tu as fini l'alambic, avec le froid qu'il a fait, tu ne vas pas me dire que c'est le travail qui t'a bousculé !

— C'était plus la peine, puisqu'on savait qu'elle allait venir.

Là encore Quantin comprit aussitôt qu'il avait parlé trop vite. Ces simples mots avaient achevé de ranimer la rage de sa femme. Frappant de la main la lettre qu'il venait de poser sur la table, elle se remit à crier :

— Ah, elle doit venir ? Eh bien, attends ! Attends donc jusqu'à Pâques, à la Toussaint ! Attends donc, puisque c'est tout ce que tu es capable de faire ! Et nous autres, on passera encore notre Noël sans elle. Tout seuls comme des bêtes. Parce qu'il faut qu'elle reste à trimer comme une esclave !

Elle se mit à rire soudain. D'un rire aigu qu'elle allait chercher tout au fond de sa gorge. Un rire qui secouait sa poitrine maigre, qui tordait sa bouche et lui donnait un peu l'air égaré.

— Je pense à l'autre gourde, lança-t-elle. L'autre gourde d'instituteur qui dit toujours qu'on est des paysans évolués, nous autres. On s'instruit ! On est à la page ! N'empêche qu'on a beau avoir le butane et un moteur pour monter l'eau sur l'évier, ça ne nous empêche pas de vivre comme des sauvages.

Il y eut un long silence. Lourd, étouffant même le bruit du feu. La chatte sortit de sa cachette, vint se frotter contre la jambe de Quantin qui demeura sans bouger. Isabelle était partie en direction de son fourneau. Denise n'avait pas bronché depuis le début de la dispute, regardant tantôt son père, tantôt sa mère, les lèvres à peine entrouvertes. Quantin pensait que sa femme allait peut-être en rester là, mais, lorsqu'elle eut remis une bûche dans le foyer et empli d'eau un grand pot-au-feu, elle se retourna, tenant à la main son pique-feu qu'elle brandissait dans un geste presque menaçant. Elle avait un autre visage et Quantin sentit qu'elle venait de faire une découverte.

— Je suis stupide, fit-elle. Je suis là, à me demander pourquoi tu n'as jamais rien fait pour elle, mais ça crève les yeux : tu es trop content ! Content qu'elle soit malheureuse! Plus elle en bavera, plus elle risque d'être dégoûtée de cette vie. Et tu comptes là-dessus pour qu'elle épouse l'autre crétin ! Et tu te dis que si elle ne vient jamais en vacances, c'est moi qui finirai par la supplier de l'épouser. Uniquement pour l'avoir un peu plus à moi ! C'est donc ça, mais ça crève les yeux ! Ah, tu es malin ! Tu es...

— Isabelle !

Quantin ne cria que ce prénom. Il s'était senti fouaillé soudain, mordu à vif, et le nom de sa femme avait jailli de lui, du fond de lui, sans le concours de sa volonté. Il resta un long moment à fixer Isabelle et, cette fois il sentit qu'il avait tué sa rage. Il dit simplement d'une voix très calme :

— Isabelle, tu n'as pas le droit...

Et il se tut. Tandis que sa femme s'asseyait lentement, un coude sur la table et son front dans sa main, il regarda Denise. La petite respira très fort et il sut qu'elle allait parler.

— Alors, elle ne viendra pas... Même pas pour le Jour de l'An ? Elle ne verra pas même la crèche ?

Quantin eut un geste de lassitude, tandis que la mère, sans lever la tête, d'une voix complètement brisée expliquait :

— C'est comme ça, ma pauvre petite. Notre Marie-Louise, si personne n'a le courage d'aller la chercher, elle ne viendra pas... On ne la verra peut-être plus jamais.

Sa voix avait un peu monté de ton, mais elle perdait le peu de force qui lui restait. Elle se cassa d'un coup, butant sur un sanglot mal contenu.

Presque aussitôt, se tournant vers la crèche, la petite se mit à pleurer aussi.

Quantin restait devant la fenêtre, immobile, ne sachant que dire, n'osant plus se retourner, le regard rivé aux vitres qui brouillaient la campagne toute grise.

5

Il y avait des années que Quantin n'avait pas vu pleurer Isabelle. Depuis la mort de sa mère, peut-être. Tout d'abord, il resta sans bouger, à écouter et à regarder. Isabelle pleurait vraiment, sanglotant et reniflant, le visage dans ses mains. Lentement, Quantin s'approcha. Il regardait ce dos étroit, ces épaules pointues sous la laine noire d'une veste passée et reprisée en maints endroits ; il regardait cette nuque et ce chignon secoués par les sanglots comme par certains mouvements du travail. En dehors des repas, Isabelle ne s'asseyait guère à la table que pour les rares besognes qu'elle ne pouvait pas mener à bien debout. Même lorsqu'il venait des visites, si elle était vraiment obligée de rester assise à bavarder, elle trouvait une chaussette à ravauder ou des légumes à éplucher. Et à présent, elle était là, avec ses mains seulement occupées à soutenir sa tête. Elle était là, toute secouée de sanglots qui devaient lui faire très mal, et Quantin se sentait vide, impuissant à la consoler.

Il la regarda longtemps, cherchant un mot, un geste. L'idée lui vint d'avancer jusqu'à elle, de la prendre par les épaules, de relever sa tête et de l'embrasser. Il eut réellement envie de le faire, mais il sentit que ce n'était pas possible. On ne retrouve pas facilement un geste qu'on n'a pas fait depuis tant d'années. Et puis, Quantin ne savait pas quelle serait la réaction d'Isabelle. Elle était si vive, si facilement irritable...

Ils vivaient là, sans se quitter, attelés au même chargement de petites misères et de petites joies, à marcher du même pas depuis des années, et voilà qu'il s'apercevait aujourd'hui qu'il connaissait à peine sa femme. Voilà qu'il n'osait même plus l'embrasser. Lorsqu'on vit ainsi, on croit se connaître, mais c'est seulement valable pour l'habituel, c'est-à-dire la peine et les toutes petites joies qui font l'existence. Mais qu'un événement survienne qui vous jette brutalement en dehors de l'ornière, et voilà qu'on ne se retrouve plus. On se prend à regarder sa femme comme si on la rencontrait pour la première fois.

Quantin s'éloigna sans bruit d'Isabelle et regarda Denise. La petite pleurait debout, le visage à peine incliné, sans même essuyer les larmes qui luisaient sur ses joues rondes.

Ils étaient là, et le temps coulait, marqué seulement par le bruit des pleurs. Et Quantin ne parvenait même pas à réfléchir vraiment. Son regard allait des deux femmes à la fenêtre, puis à la cuisinière, puis à la crèche, éteinte. Il regardait tout sans rien voir, et il lui semblait qu'un travail compliqué se faisait en lui, presque sans lui.

La chatte avait cessé de se frotter contre ses jambes. Elle était montée sur la pile de bois et se trouvait perchée plus haut que la cuisinière. Le cou tendu, avançant la tête à petits coups prudents, elle flairait l'air brûlant.

Quantin marcha jusqu'à l'ancien four, resta quelques minutes planté devant la crèche puis, lorsqu'il se retourna, son visage se détendit à demi. Il s'approcha d'Isabelle sans bien savoir ce qu'il allait lui dire. Il n'avait rien préparé et il eut le sentiment qu'un autre avait choisi et assemblé les mots qui sortaient de lui :

— Je ne peux tout de même pas partir comme ça, aujourd'hui, sans avoir prévenu personne...

Il se tut. La tête d'Isabelle se souleva lentement. Son visage était ravagé par les pleurs, mais ses sanglots s'arrêtèrent. Quantin avait un peu l'impression de découvrir ce visage. Elle essuya ses larmes, puis, sans bouger, elle dit :

— C'est ce que tu répètes chaque fois qu'il faudrait y aller. Seulement, tu ne le diras plus. Une fois qu'elle sera à Paris, tu trouveras que c'est trop loin. Et ce sera vrai... Mais la petite sera partie sans qu'on ait pu l'embrasser... Et nous, on restera... Tu seras ici, à lire tes livres... A parler d'elle avec l'instituteur... A écouter les âneries qu'il te raconte.

Elle s'était exprimée calmement, et seule sa dernière phrase pouvait faire craindre une nouvelle poussée de colère. Mais non, ce n'était plus possible ; sa force avait dû se briser au moment de son premier sanglot. Elle regardait Quantin, et seul son regard pouvait continuer de parler. Ses yeux mouillés étaient marqués d'une expression qu'il était certain de ne leur avoir jamais vue. Ils n'exprimaient plus la colère. Même en pensant à l'instituteur elle ne parvenait plus à être dure. Il y avait en elle comme un mélange d'espoir et de résignation. Ces larmes, qu'elle avait peut-être retenues des années, venaient de la transformer en quelques minutes. Ces larmes ou bien les quelques mots que Quantin avait prononcés. Est-ce qu'il ne venait pas ainsi de donner un espoir à Isabelle ? Est-ce qu'il ne venait pas, en quelque sorte, de s'engager à partir ? Il avait parlé sans effort, sans bien savoir ce qu'il disait, et puis voilà qu'il se trouvait lié à ces quelques mots qui ne lui appartenaient déjà plus. Ils étaient sortis de lui presque à son insu, et, aussitôt, Isabelle s'en était emparée. Ils avaient agi sur elle comme un baume. Ils avaient même dû toucher également Denise qui s'était, elle aussi, arrêtée de pleurer.

Sans cesser de le regarder fixement, Isabelle se leva lentement, avança le long de la table où sa main droite glissait à plat.

A voix basse elle dit :

— Il y a le train de 2 heures et demie.

Quantin ne trouva pas un mot à répondre. Il lui sembla que son cœur avait changé de rythme, que sa poitrine se serrait, comprimant son souffle. Et les yeux de sa femme s'accrochaient toujours à lui. Ils continuaient de parler, de répéter qu'il fallait partir, qu'à présent lui seul pouvait encore quelque chose. Il voulut tenter de leur échapper. Avec un effort considérable il s'en détacha et fit demi-tour pour se trouver face à la petite qui se tenait plantée à côté de la crèche. Denise aussi le regardait. D'abord sans expression, son visage s'éclaira peu à peu, et son regard aussi refléta bientôt un immense espoir.

Quantin baissa la tête et demeura quelques minutes immobile. A vrai dire, il ne luttait déjà plus, sa décision était prise, mais il fallait seulement le temps que son corps obéît. Enfin, sans se retourner, il se mit à marcher en direction de la chambre. Il allait atteindre la porte quand Isabelle lança :

— Attends un peu, je vais te préparer tes habits. Ne va pas me chambouler toute mon armoire... Et puis, il faut que tu manges, avant de partir... Allons, Denise, ne reste pas plantée comme un piquet ! Mets-moi chauffer de l'eau pour cuire des nouilles. Il y a de la soupe. Et tu mettras aussi, sur le fourneau...

Elle avait retrouvé sa voix, son débit, ses pointes acérées qui perçaient les oreilles ; et Quantin eut le sentiment qu'elle recommençait à vivre.

Dans la chambre, elle ouvrit toutes grandes les deux portes de l'armoire où tout le haut de son corps disparut un moment. Elle sortit une chemise et des chaussettes propres, puis elle étendit en travers du lit le complet noir que Quantin mettait seulement pour les enterrements. Ensuite, elle dépendit la pelisse que Quantin tenait de son père, et qu'il avait peut-être portée trois ou quatre fois.

— Si tu as besoin d'autre chose, tu m'appelleras, dit-elle avant de regagner sa cuisine.

Quantin contempla un moment ses vêtements étalés sur l'édredon rouge, puis, avec des gestes fatigués, il commença de s'habiller. Il eut beaucoup de mal avec le nœud de sa cravate qu'il faisait sur un petit tricorne en celluloïd. Le tissu glissait mal entre ses doigts rêches. Ces vêtements froids ne semblaient pas faits pour lui.

Isabelle avait laissé la porte entrouverte, et Quantin écoutait le tapage qu'elle menait avec son fourneau et sa batterie de cuisine. Il l'entendit aussi se chamailler à mi-voix avec Denise, puis il perçut un grand bruit de papier plié et replié.

Lorsqu'il regagna la cuisine, il était à peine 11 heures, mais le couvert était déjà dressé et la soupe trempée.

Denise le regarda des pieds à la tête, puis elle sourit.

Isabelle ne souriait pas, mais, sous la moue crispée de son visage, se devinait une lueur qui était peut-être bien de la joie.

6

Habituellement, à table, chacun mangeait, si l'on peut dire, pour son propre compte, le nez dans son assiette. De loin en loin, Isabelle secouait bien un peu la petite toujours trop lente, mais c'était tout. Cela faisait partie du repas, tout comme les bruits des couverts ou les miaulements de la chatte au moment où l'on coupait la viande.

Comme les silences, aussi.

De longs silences qui ne gênaient jamais personne. Mais, ce jour-là, Isabelle avait oublié la petite pour s'occuper uniquement de son homme.

Quantin n'avait pas faim. Un poids écrasait son estomac, et sa gorge se dénouait difficilement à chaque bouchée qu'il devait absorber. Et Isabelle était là, toute occupée de lui, l'obligeant à manger, lui faisant répéter l'adresse des patrons de Marie-Louise et celle de sa chambre. Quantin avait tout noté sur un petit calepin réclame de la Potasse d'Alsace, mais elle prétendait qu'il pouvait perdre le calepin. Isabelle pensait à tout, et, lorsque Quantin fit observer qu'il ne s'embarquait pas pour le tour du globe mais pour un voyage de cent kilomètres, elle dit que c'était tout aussi important. Elle était intarissable, multipliant les recommandations :

— Fais attention. Tu n'as pas l'habitude de la ville. Et puis, avec les patrons de la petite, ne t'emporte pas. Mais tout de même, tâche d'être ferme. Et puis, tu verras bien, si des fois c'est nécessaire, tu peux toujours leur dire que je suis malade, que je voudrais bien voir ma fille... Et s'il faut absolument qu'elle travaille demain, ne reviens pas ce soir. Attends-la. Vous viendrez tous les deux. Elle peut te coucher. Elle a un divan dans sa chambre. Elle nous l'a expliqué... Pour les bêtes, ne te tracasse pas : on se débrouillera, moi et la petite. Si tu étais malade, faudrait bien qu'on fasse sans toi. Quand tu t'es foulé la cheville en tombant du char, le travail n'a pas attendu...

Elle parla ainsi durant tout le repas. Des mots. Des mots qui allaient, l'un traînant l'autre, comme ces processions de chenilles qui traversent les chemins sans qu'on sache jamais où se trouvent le commencement et la fin. Et ce qu'elle disait était aussi comme les chenilles, toujours pareil. A plusieurs reprises, Quantin eut envie de lui faire remarquer qu'elle ne mangeait rien, mais il ne trouva pas le courage de l'interrompre. Elle répétait sans cesse les mêmes mots, mais ces mots semblaient la rendre heureuse. Elle les laissait sortir d'elle un peu comme on laisse couler des larmes qui vous soulagent. Il y avait des mois, peut-être des années, que Quantin ne l'avait pas entendue parler aussi calmement, et autrement que pour se lamenter ou gronder.

De temps à autre, Quantin regardait Denise. Elle non plus ne mangeait pas beaucoup. Son regard allait de sa mère dont elle buvait le flot de paroles à son père dont elle contemplait les vêtements.

Dans la maison, rien n'était habituel. Même la chatte ne comprenait pas pourquoi Quantin l'avait empêchée de monter sur ses genoux. Après avoir longuement flairé le bas de ce pantalon à l'odeur insolite de plantes desséchées, elle s'était éloignée de son maître. Assise au milieu de la cuisine, elle demeurait les yeux clos, toute noire sur le plancher clair.

Peut-être à cause de ce costume et du regard des autres, Quantin se sentait mal à l'aise. Le sentiment bizarre lui venait qu'il se trouvait là en invité, chez des gens d'un pays inconnu.

Par moments, il pensait à Lyon. Il essayait de se remémorer la ville, mais il lui manquait toujours un détail: Il savait que ce n'était qu'un petit voyage, mais cette idée ne parvenait pas à chasser de lui l'angoisse qu'il sentait grandir à chaque instant. Pour y échapper, il se contraignit à écouter ce que disait sa femme :

— Avec cette histoire que le chasse-neige n'est pas venu, tu ne peux pas descendre sans bottes.

— Je ne peux tout de même pas partir à Lyon en bottes.

— Non, mais je pense à une chose, je vais te plier bien comme il faut le bas de ton pantalon, et tu vas mettre tes guêtres par-dessus. Tu demanderas au chef de gare de te les garder. Il peut bien faire ça. Je lui descendrai des fromages. Si ton pantalon se froisse un peu, il aura le temps de se défroisser dans le train.

Elle prépara tout sans cesser une minute de parler. Enfin, lorsque Quantin eut boutonné sa pelisse et qu'elle le vit sur le point de mettre son chapeau, elle s'arrêta. Face à face, ils se regardèrent un moment en silence. Elle avait le front plissé et ses paupières battirent plusieurs fois rapidement. Se détournant soudain, elle prit un paquet ficelé qu'elle avait préparé, sur le bout de la table.

— Tiens, fit-elle. Il faut qu'elle revienne avec toi... Enfin, tout de même, c'est peut-être mieux que tu l'emportes... On ne sait jamais...

Quantin comprit qu'il s'agissait du cadeau destiné à Marie-Louise. Il ignorait même ce que contenait le paquet enveloppé de papier brun, mais il le serra sous son bras. Il tenait toujours son chapeau de sa main droite. Les instants coulaient entre eux. Isabelle le regardait toujours, et il sentait qu'elle ne l'avait pas regardé ainsi depuis de longues années. Elle pénétrait en lui, comme si elle eût aimé ajouter à tout ce qu'elle avait déjà dit, un message que nul mot ne pouvait exprimer. Au moment où son regard s'emplissait de larmes, elle baissa les paupières en disant très vite :

— Eh bien, ma foi, faut plus trop tarder... Avec des chemins pareils, tu ne pourras pas descendre bien vite, tu sais.

Il y eut encore, entre eux, un temps de silence, un temps où il se passa une chose indéfinissable, à peine sensible, une chose sans nom, sans consistance, un peu comme l'ombre des nuages sans épaisseur lorsqu'elle court sur la plaine, tout juste visible. Il y eut cela, puis, sans qu'il fût possible de dire lequel des deux amorça le premier la lente inclination qui les rapprochait l'un de l'autre, ils firent tous deux un demi-pas et s'embrassèrent. Ensuite, Quantin embrassa Denise mais là, c'était beaucoup plus facile. Il marcha jusqu'à la porte puis, se retournant, il regarda très vite la cuisinière, la crèche, la table et les deux femmes aussi immobiles que les meubles. Et il lui parut que jamais encore il n'avait regardé cela de cette façon, que tout avait une densité, une présence inhabituelles. Il avait du mal à réfléchir, mais il comprit pourtant qu'il devait sortir sans s'arrêter davantage, sans laisser cette maison le retenir.

Comme il passait le seuil, la chatte fila entre ses jambes et bondit sur le rebord extérieur de la fenêtre. Il fit quelques pas, avant de crier d'une voix mal assurée :

— Ne vous gelez pas ! Fermez cette porte !

La porte claqua derrière lui, et il marcha jusqu'au milieu de la route avant de se retourner. Dans la buée des vitres, il y avait deux ronds plus foncés, comme des hublots, où s'encadraient deux visages souriants. Assise sur la pierre, la chatte, dont le petit nez fumait, le regardait aussi.

Quantin agita la main, puis, s'engageant dans la neige épaisse, il s'efforça de suivre les traces mêlées de l'instituteur et du facteur.

Il marcha un long moment sans lever la tête, recherchant le meilleur endroit pour poser le pied. Enfin, lorsqu'il se retourna, la neige du tournant cachait déjà presque toute la maison. Seul le haut du pignon dépassait, et le toit blanc semblait posé directement sur la terre blanche. Le ciel était plus lourd encore que le matin ; la fumée grise qui sortait de la cheminée de briques brunes se couchait à peine vers le coteau où les rangs de vigne étaient comme des fils noirs tout noueux déroulés sur la neige.

Quantin reprit sa route. Il avait deux fois le temps de descendre jusqu'à la gare, mais il marchait tout de même d'un bon pas. Il ne s'arrêta qu'une seule fois, pour regarder la Bresse semée d'arbres et de maisons, où les chemins et les haies traçaient des courbes, des lignes droites, des angles imparfaits. Là aussi, il avait le sentiment d'une découverte. Avait-il déjà regardé cela ainsi ? Est-ce qu'il n'y avait pas, aujourd'hui, quelque chose qui montait de la terre et pénétrait en lui ? Avait-il jamais éprouvé cette sensation à la seule vue d'une plaine courant à ses pieds jusqu'à se perdre dans cette brume qui semblait venir à sa rencontre, du fond de l'horizon ?

C'était là-bas qu'il se rendait. Tout au fond de cette plaine, vers cette ville invisible dont on devine l'emplacement parce qu'elle salit le ciel, même par les jours les plus clairs. Là-bas, il y avait Marie-Louise. Marie-Louise et des milliers d'hommes et de femmes ; le bruit des voitures ; la vie effrayante de toute une ville monstrueuse.

Ici, c'était le silence.

Quantin n'y avait jamais pensé de cette façon. Habituellement, il ne remarquait pas ce silence, il ne s'arrêtait jamais à cet infini de la plaine et du ciel. Quand il regardait l'un ou l'autre, c'était pour y découvrir le mouvement du vent, la fuite des nuages qui indique le temps du lendemain. Aujourd'hui, le temps importait peu, mais Quantin se surprenait à épier le silence et l'infini de la plaine. C'était un peu comme si son corps eût soudain changé d'essence, varié de densité au point que l'espoir pût lui venir d'un envol soudain. Il ne se sentait plus seulement attaché à la terre par son poids de paysan, mais quelque chose le mêlait à tout ce qui entourait cette terre. Il faisait partie non pas tellement du monde, mais de la minute présente. Et c'était ainsi, sans qu'il pût rien y changer, simplement parce qu'il se tenait debout dans la neige, avec des yeux et des oreilles par où pénétrait en lui comme un complément de l'air qu'appelaient ses poumons.

Il lui sembla qu'il ne pouvait pas davantage se passer de regarder et d'écouter que de respirer. C'était une question de vie ou de mort.

Pour se libérer, il tenta de fixer son attention sur la ville qu'il allait gagner. Mais tout demeurait vague. Ces rues et ces places qu'il n'avait pas revues depuis peut-être vingt ans lui échappaient. Elles étaient sorties de lui depuis longtemps et refusaient d'y revenir. En revanche, il retrouvait devant ses yeux la fenêtre de la maison, les deux visages entourés de buée, la chatte dehors qui le regardait s'en aller.

Un instant, il eut réellement la certitude que le vent qu'il respirait portait l'odeur du feu de bois et de la pâtée des bêtes. Il eut un haussement d'épaules et reprit son chemin avec un ricanement.

AU VENT MAUVAIS

7

Il était 4 heures après-midi lorsque Quantin descendit du train à la gare de Perrache. A cause du temps très bas, il faisait déjà presque nuit. Quantin le remarqua en sortant sur l'esplanade. Il s'arrêta. Jusque-là, le flot des voyageurs l'avait entraîné, mais, brusquement, il se trouvait seul. Les gens qui passaient à côté de lui allaient dans tous les sens et l'ignoraient. La ville était là. La ville, c'était ce bruit des voitures, cette marche des gens inconnus, tous pareils, dont les visages n'exprimaient rien qu'il pût comprendre.

Il serra sous son bras le paquet de Marie-Louise et se mit à marcher.

Il y avait moins de neige à Lyon qu'au pays. Dans les jardins entourés de grilles qui se trouvent devant la gare, la neige était encore à peu près blanche, mais ailleurs, elle était sale, presque noire. Elle était davantage boue que neige et des employés de la ville la poussaient le long des trottoirs à l'aide de larges pelles de bois. Ils l'entassaient près de la bouche des égouts et d'autres la faisaient fondre, l'émiettaient, l'écrasaient à grands coups de jets d'eau. Tout cela giclait, éclaboussait dans un bruit qui rappelait à la fois celui du ruisseau et celui du rabot d'écurie. Les cantonniers avaient des mouvements lents, des pauses, une façon de traîner leur outil derrière eux lorsqu'ils se déplaçaient qui témoignait d'une immense fatigue. Au contraire, les passants se hâtaient, courant parfois et se bousculant. Par endroits, la neige obstruait les bouches, et l'eau s'étendait sur toute la largeur de la rue, montant même sur les trottoirs. Les voitures soulevaient des gerbes de boue et les piétons rasaient les murs. Il y avait des cris, des injures et même des rires.

Quantin regardait tout cela, et tout lui semblait très loin de l'idée qu'il avait pu se faire de la ville. Il pensait à la neige du pays, à ces chemins difficiles, au chasse-neige qui ne passe pas souvent dans les écarts, et il se disait que malgré tout, c'était encore là-bas qu'on savait le mieux s'accommoder de l'hiver.

Les lampes des magasins étaient déjà allumées. Des guirlandes d'ampoules électriques jaunes et rouges traversaient la rue Victor-Hugo, d'une maison à l'autre, à la hauteur du deuxième étage. Il y en avait ainsi jusqu'à la place Bellecour, et la rue ressemblait à un long corridor de lumière. Quantin s'y engagea. Il avait toujours cette angoisse qui lui serrait la poitrine. Mais elle n'était plus la même. Il éprouvait une sorte de vertige à se trouver ainsi, sous cette lumière, entre ces maisons trop hautes, et l'image de la plaine infinie lui revenait sans cesse.

Durant tout le trajet, il avait pensé à Marie-Louise. Il avait essayé de se faire une idée précise de son existence, de sa chambre, de son travail. Marie-Louise leur avait beaucoup parlé de tout cela, et il avait en mémoire quelques détails précis, mais tout le reste demeurait vague. Le reste, c'est-à-dire l'essentiel de ce qui constituait la vie de Marie-Louise. Depuis leur séparation, il avait vécu en pensant à elle, mais sans jamais chercher à se représenter vraiment sa vie. Il s'en était rendu compte en venant ici, dans le train, et il en avait éprouvé un peu de gêne.

Ce qu'il avait le mieux retrouvé de Marie-Louise, ce n'était pas le souvenir de sa dernière visite, mais ceux de son enfance. Quantin pouvait revivre un à un tous leurs Noëls. Même les premiers, ceux du temps où ses parents étaient encore de ce monde. C'était l'occupation nazie ; il fallait porter du beurre, des œufs ou de l'eau-de-vie pour avoir quelques oranges et un petit sac de papillotes. Il revoyait l'énorme poupée que sa mère avait confectionnée avec des chiffons et de la paille. Il y avait eu aussi une petite ménagère qui avait beaucoup intéressé Marie-Louise. Et puis, il y avait eu 1947. Elle avait six ans. Elle croyait encore au Père Noël et pensait qu'il était venu à la maison un peu plus tôt, cette année-là, à cause de la petite sœur qu'il portait dans sa hotte et qui n'arrêtait pas de crier. Elle riait en disant qu'il avait été contraint de commencer sa tournée par ce coin-là de la terre, pour se débarrasser de ce gros poupon qui risquait de réveiller les autres enfants et même les poupées.

Tout le long du voyage, Quantin avait pensé à cela et il y pensait encore dans les rues, en se demandant ce que Marie-Louise pouvait bien conserver de ce temps lointain. Serait-elle vraiment heureuse s'il parvenait à l'emmener avec lui ? Est-ce qu'elle serait touchée par la crèche que Denise avait préparée surtout en pensant à elle ?

Tout autour de lui, c'était déjà un peu Noël. Le mot était écrit dans chaque devanture, avec de la lumière, avec de la peinture, avec de la neige artificielle plus blanche et plus ressemblante que la vraie.

Mais, pour Quantin, Noël ce n'était pas cela. Noël, ça ne pouvait être que la crèche de Marie-Louise et de Denise, la maison bien close sur la chaleur du fourneau, sur cette autre chaleur qu'il avait sentie s'arracher de lui au moment où il quittait la cuisine. Noël, c'était une nuit où l'on veillait un peu plus tard que les autres soirs, mais où il fallait, le lendemain, être debout avant l'aube pour jouir des rires et des exclamations d'enfants devant les chaussures pleines.

Pouvait-on trouver cela ici ?

Dans les rues, avec toutes ces lampes, on ne voyait même pas l'avance du crépuscule. Mais, place Bellecour où l'éclairage est plus rare, Quantin s'aperçut que la nuit était là. La bise s'était levée et, malgré sa pelisse, il était glacé.

En traversant cette place, il regarda la statue équestre dont le bronze était noir sous la neige. Il chercha quelques phrases d'un livre qui l'avait beaucoup impressionné et dont il avait souvent parlé avec l'instituteur. L'auteur, un médecin dont le nom lui échappait, avait appelé ce lieu *La Place des Angoisses*. Quantin ne retrouvait pas les mots, mais seulement l'émotion qu'il avait éprouvée. Dans ce livre, cette place était liée à l'idée de la mort, et il eut soudain la vision du costume sombre qu'il portait, tel que sa femme l'avait étendu sur l'édredon rouge, avant son départ. C'était le costume qu'il revêtait pour les enterrements, c'était certainement celui qu'on lui mettrait pour l'ensevelir. Il voulut savoir pourquoi lui venait brusquement cette idée de sa propre mort, mais il ne trouva pas. Il pensa seulement que ce pouvait être à cause de son départ. Ici, il n'avait pas l'impression de se trouver sur une terre bien solide. Quelque chose lui manquait, quelque chose qui devait faire partie de sa vie.

Il se hâta de traverser cet espace de pénombre. Il savait que la rue de l'Hôtel-de-Ville se trouvait en face. Elle était également très abondamment éclairée et Quantin espéra un instant qu'il s'y sentirait moins seul. Mais il était mal à l'aise sur ces trottoirs où les gens marchaient vite. Il n'arrivait pas à allonger normalement son pas et sa marche était extrêmement pénible. A chaque instant, il devait s'arrêter pour éviter de bousculer les gens. Il s'aplatissait contre une devanture ou demeurait un instant dans l'entrée d'une allée.

Déjà dans le train, il avait pensé à son chapeau. Ce chapeau noir avait un fond très haut et de larges bords. Aux enterrements, il n'était pas seul de son âge, mais ici, c'était différent. Quantin avait beau chercher, il ne voyait que des chapeaux plus petits, à bords étroits et très différents de forme. Il se dit qu'il aurait dû remarquer depuis longtemps, à la foire de Lons, cette nouvelle mode des chapeaux, mais il se rendait toujours à la foire en casquette. Il avait sûrement vu les chapeaux des autres sans y prêter grande attention, et surtout sans penser à leur comparer le sien qui sortait si rarement de l'armoire. Ici, il lui semblait que beaucoup de gens regardaient son chapeau. Il ne s'en trouvait pas gêné, mais il pensait à Marie-Louise. Lorsqu'il arriverait dans le salon où elle travaillait, il enlèverait son chapeau et le tiendrait caché derrière son dos. Le tout serait d'y penser même en parlant.

Il n'avait jamais encore cherché à s'imaginer ce salon ; il n'y pensait qu'en fonction de cette histoire de chapeau. S'il y avait un portemanteau, on lui proposerait peut-être d'y accrocher son chapeau et sa pelisse. Il ne voyait personne avec une pelisse comme la sienne, mais cela n'avait rien de comparable avec l'histoire du chapeau. Il savait que la fourrure est un luxe, et il s'estimait mieux vêtu que la plupart des hommes qu'il côtoyait.

Toutes les rues étaient de longs tunnels de lumière. Celle de l'Hôtel-de-Ville avait une voûte formée de trois sections d'arceaux, une grande au milieu, et une plus petite de chaque côté.

Plus Quantin avançait, plus la foule était dense. A un certain moment, la bousculade fut telle qu'il dut prendre son paquet à deux mains pour éviter qu'il ne lui soit arraché.

Devant certaines devantures, les passants s'arrêtaient, s'agglutinaient, obstruant complètement le trottoir et même une partie de la rue. Les voitures klaxonnaient, passaient en éclaboussant les badauds qui criaient ou frappaient de la main les carrosseries. Il y avait un peu de folie dans tout cela, et Quantin se demandait comment les gens pouvaient se complaire ici. Il s'étonnait qu'il n'y eût pas d'accident ou de bataille. Des groupes de jeunes riaient, mais, le plus souvent, le visage des gens et leur attitude reflétaient une sorte de hargne, de rage froide qui contrastait avec tant de lumière. Etait-ce réellement Noël que l'on préparait ainsi ?

Malgré la boue, la haine, le froid, les curieux continuaient à se presser pour voir de plus près le dos de ceux qui se trouvaient aux premiers rangs.

Devant cette cohue, Quantin pensait à sa maison toute seule dans la neige propre. Les volets devaient déjà être clos, et le bourrelet de toile de sac bien poussé derrière la porte pour couper le biseau de vent qui file au ras du seuil et vous glace les pieds malgré le feu. A cette heure-là, Denise avait sans doute allumé la lampe de sa crèche qu'elle contemplait tandis que sa mère préparait la soupe. Ce n'était rien qu'un peu de tiédeur, une toute petite lueur lointaine, mais comme cela semblait solide à côté de cette folie de la ville ! Sans bien la connaître, Quantin avait toujours redouté la ville ; ce soir, toutes ses craintes lui revenaient, tout en lui se tendait vers sa maison solitaire.

Quantin pensa à l'instituteur. Il se demanda s'il était seul dans sa chambre ou si son collègue marié, et qui habite également la maison d'école, l'avait invité à passer quelques heures chez lui. Il savait qu'ils étaient très amis, mais il s'était souvent demandé si l'instituteur ne préférait pas la solitude de sa chambre vide au spectacle de bonheur qu'offrait ce couple heureux. Car c'était un couple heureux. Ça se voyait. Quantin les avait rarement rencontrés l'un sans l'autre, et ils étaient toujours comme deux grands enfants. La maison d'école était un endroit tranquille sous les marronniers, un endroit pour une existence calme, comme ne peuvent en avoir les gens des villes.

Le mal que Quantin éprouvait à se tirer de la foule, à s'extraire des grappes de piétons, à éviter les voitures lui fit encore penser à l'instituteur. Il ne parvenait pas à l'imagnier là, avec son grand corps dont on croyait toujours qu'il allait se casser ; avec ses membres trop longs et qui semblaient déjà l'embarrasser lorsqu'il disposait de beaucoup d'espace. Des jeunes filles qui se faufilaient parmi les groupes comme des truites entre les roches lui firent penser à Marie-Louise. Elle, il n'avait aucun mal à l'imaginer dans ces rues. Elle devait s'y mouvoir sans être gênée. Elle devait un peu mépriser cette foule. Il la voyait fort bien ; en même temps il se demandait si elle pouvait réellement être heureuse ici.

Il finit par marcher sans plus regarder les visages

tous semblables, comme saoulé par ce mouvement incessant et ce vacarme.

Il marchait dans cette rue de lumière, mais il pensait à Marie-Louise, et c'était elle qui le ramenait vers sa petite maison bien chaude, où on pouvait s'asseoir près de la fenêtre et regarder tomber la neige blanche.

8

Quantin n'eut pas de peine à trouver le Salon Roberti. Il resta un long moment devant la vitrine où étaient exposés des produits de beauté, des photographies de femmes, le tout sur un velours rouge semé de neige artificielle. Entre les portraits, il y avait aussi quelques branches de sapin pareilles à celles qu'il avait rapportées à Denise pour sa crèche. Et ça ne paraissait pas tellement étrange, ces branches encore vivantes dans cette vitrine inondée de lumière crue et toute scintillante d'objets qui n'étaient pas naturels. En regardant les coiffures photographiées, Quantin pensa que c'était peut-être là le travail de Marie-Louise et, malgré lui, il se mit à rire. Il se souvenait du jour où, alors qu'elle avait huit ou neuf ans, Marie-Louise avait coupé les cheveux de sa petite sœur. Il riait en imaginant le portrait de la pauvre Denise, avec ses mèches cisaillées à ras du crâne, exposé ici, parmi ces pièces montées savantes.

Il fit encore deux pas et se trouva devant la porte qui était une grande glace avec une poignée noire en forme de main très longue, aux doigts effilés. La porte donnait sur une petite entrée absolument vide et limitée par des cloisons de verre dépoli derrière lesquelles passaient des ombres. Quantin observa un moment, sans cesse bousculé, obligé de résister pour n'être pas entraîné par les passants. Il regarda encore deux fois le numéro de l'immeuble et le nom avant de se décider à pousser la porte.

Dès l'entrée, il fut saisi à la gorge par la chaleur et l'odeur des parfums mêlés. Avant même d'avoir pu retrouver son souffle, il pensa à quitter son chapeau qu'il dissimula derrière lui. Il était là, tout près de Marie-Louise qui avait sans doute entendu ouvrir. Elle allait peut-être venir elle-même par l'une de ces trois portes ouvertes dans les cloisons vitrées. Il sentait qu'elle allait apparaître, lui parler, l'embrasser. Il était tout entier pris par cette attente et puis, soudain, une idée absurde le traversa : il devait s'en aller. Se sauver avant l'arrivée de Marie-Louise qui ne lui pardonnerait pas d'être venu jusque-là, d'être entré dans ce salon avec son antique chapeau et sa pelisse démodée. Machinalement, il frottait ses gros doigts l'un contre l'autre. Cela faisait comme un bruit de râpe. Est-ce qu'il y avait place pour lui dans un salon pareil ? Est-ce qu'on pouvait s'occuper d'un paysan aux mains semblables ? Marie-Louise n'avait peut-être jamais expliqué qui étaient ses parents. N'était-ce pas parce qu'elle avait un peu honte de leur état qu'elle venait si peu souvent les voir ?

Une minute passa. Deux peut-être, puis une jeune

fille brune, portant une curieuse blouse très courte en tissu clair, sortit sur le pas d'une des trois portes intérieures. Elle sourit à Quantin en disant simplement :

— Monsieur ?

Quantin toussa. L'air chaud et trop lourd de parfum le tenait toujours à la gorge. Il avait simplement à demander Marie-Louise Quantin, mais il éprouvait du mal à parler. Il était comme paralysé, et ce n'était peut-être pas uniquement par les lumières trop vives et l'odeur. Lorsqu'il eut enfin posé sa question, la jeune fille le regarda avec étonnement avant de demander :

— Mlle Quantin, dites-vous ?

— Oui, Quantin.

— Cette personne avait rendez-vous cet après-midi ?

Quantin eut une hésitation. Il ne comprenait pas ce que voulait dire cette fille. Machinalement, il répéta :

— Rendez-vous ?

— Savez-vous à quelle heure elle devait venir ?

Il fit un effort pour réfléchir, mais il lui semblait qu'il venait de pénétrer en un monde étrange, où l'on ne parlait pas le langage de son pays. Comme il ne disait rien, la jeune fille reprit :

— Pour venir ici, cette personne avait bien pris un rendez-vous. Savez-vous à quelle heure elle devait venir ?

A présent, on lui parlait comme à un enfant ou à un simple d'esprit. On lui répétait deux fois la même chose, en articulant bien, en changeant les mots de place. Il se raidit un peu pour se donner une contenance, redressa tout son corps engoncé dans la fourrure. Un peu de jour se fit en lui et l'idée lui vint soudain que cette jeune fille pouvait être une nouvelle employée, peut-être une personne embauchée pour la période des fêtes. Si l'on avait ainsi embauché du personnel supplémentaire, c'est qu'il devait y avoir énormément de travail. Il aurait du mal à obtenir un peu de liberté pour Marie-Louise. La pensée qu'il devrait se montrer ferme lui donna un peu de force. D'une voix posée, il expliqua que Marie-Louise n'était pas une cliente, mais une employée de la maison. La jeune fille parut surprise et demanda :

— Vous m'avez bien dit : Marie-Louise Quantin ?

— Oui, mademoiselle.

— Alors, vous devez vous tromper. Il n'y a pas d'employée de ce nom dans la maison.

— Pourtant, je suis certain... Salon Roberti.

Son calme s'était déjà dissipé. Il eut conscience que ses mains tremblaient un peu.

La jeune fille eut un geste d'excuse, réfléchit un instant et demanda :

— Voulez-vous patienter une petite minute ?

Quantin approuva de la tête et la jeune fille disparut.

L'air était vraiment irrespirable. Quantin se sentait très mal à l'aise et il craignit un instant d'être obligé de sortir. Il avait du mal à réfléchir et il se demandait seulement comment des êtres humains pareils à lui pouvaient vivre ici. Cependant, derrière ces cloisons de verre, des formes se mouvaient qui paraissaient à l'aise. Les voix étaient calmes. Un ronronnement venait de l'une des pièces.

Quelques minutes passèrent, puis la jeune fille revint en compagnie d'un homme qui paraissait une trentaine d'années. Ils demeurèrent assez loin de Quantin qui ne pouvait entendre ce qu'ils disaient. L'homme regarda plusieurs fois dans sa direction, et

Quantin eut le sentiment que tous deux riaient un peu de lui. L'idée qu'il pouvait porter préjudice à sa fille lui revint ; presque aussitôt, il sentit monter une colère sourde. De quoi se mêlaient ces imbéciles ? Pourquoi ne pas appeler tout de suite Marie-Louise ? Est-ce qu'ils allaient se moquer d'elle ? La traiter de paysanne à cause de son père ? L'homme portait également une ridicule blouse de fille. Il avait un visage pâle et un cou frêle de garçonnet mal nourri. Quantin torturait son chapeau entre ses grosses mains. Il luttait contre l'envie de marcher vers ce garçon et de lui tirer les oreilles.

Enfin, la jeune fille revint. Elle semblait contenir avec peine une forte envie de rire. Elle expliqua très vite :

— J'ai demandé à un camarade qui est là depuis plus longtemps que moi. Il m'a dit que Mlle Quantin a bien travaillé ici, mais il y a un peu plus d'un an qu'elle est partie.

— Un peu plus d'un an ?

Quantin fronça les sourcils. Il était persuadé qu'on se moquait de lui. Que cette fille avait une raison d'en vouloir à Marie-Louise... Etait-ce possible ?... Elle n'aurait pas osé... Et ce blanc-bec au cou de fillette ?...

— Vous dites, un peu plus d'un an...

C'est tout ce qu'il put murmurer.

— Oui, dit encore la jeune fille. Elle serait au Salon Trianon... Vous connaissez ?

— Non, je ne suis pas de Lyon.

La jeune fille sourit en l'examinant de la tête aux pieds. Il eut envie de lui crier qu'un paysan vaut bien une pimbêche, de lui montrer ses mains... Il serra les dents et fit un effort pour imaginer Marie-Louise ici, à la place de cette gamine. Fallait-il réellement être ainsi pour vivre dans un milieu semblable ?

La jeune fille lui répéta deux fois l'adresse en lui expliquant le chemin à suivre. Comme il se dirigeait vers la porte, elle dit encore :

— Je crois que ça se trouve au deuxième étage, mais vous trouverez facilement.

Quantin remercia et sortit tandis que la jeune fille tenait la porte ouverte.

Sur le trottoir, les gens passaient toujours en aussi grand nombre. Quantin ne savait plus très bien ce qu'il devait faire. Encore oppressé par la lourdeur des parfums qu'il avait respirés, il demeura immobile, le dos à la vitrine du Salon Roberti, à respirer l'air glacé qui lui faisait du bien.

9

Quantin resta ainsi un long moment. Le temps passé dans cette pièce lui semblait un véritable séjour en un monde à peine réel. L'odeur insupportable était encore en lui, sur lui, sous les poils de sa pelisse, au fond de sa gorge, qu'elle avait desséchée. Ce monde lui était inconnu, mais il ne parvenait pas à se débarrasser de l'impression ridicule d'avoir déjà vécu cette rencontre, dans ce même salon, avec le visage trop maquillé de cette gamine, le cou frêle de ce blanc-bec à blouse trop courte. Il était écœuré par cette atmosphère irrespirable, mais pas tellement surpris de ce qu'on lui avait répondu. Il venait d'apprendre que Marie-Louise avait quitté cette maison depuis plus d'une année, et il n'en était pas vraiment étonné. Pourtant, cela signifiait qu'au mois de juillet, lorsqu'elle était venue les voir, elle avait déjà changé d'emploi.

Il se mit à marcher, revenant sur ses pas et suivant le chemin indiqué par la jeune fille.

Pourquoi Marie-Louise n'avait-elle jamais parlé de ce changement de situation ? Est-ce que le blanc-bec du Salon Roberti savait bien ce qu'il disait ? Il avait pu se tromper de date. Il avait une sale tête, ce type-là. Une tête à dire n'importe quoi pour se moquer du monde ou s'en débarrasser. C'était peut-être à cause de lui que Marie-Louise était partie. Pour ne plus l'entendre se gausser des paysans. Il s'était moqué de Quantin, c'était certain. Il avait regardé sa pelisse de telle manière qu'on ne pouvait s'y tromper. Et puis la fille, son sourire, lorsqu'elle était revenue lui parler ! Est-ce qu'elle n'était pas, elle aussi, un peu responsable du départ de Marie-Louise ? N'avait-elle pas intrigué auprès du blanc-bec pour obtenir le renvoi de Marie-Louise et prendre sa place ? Et tout d'abord, est-ce que Marie-Louise avait été renvoyée ? Peut-être pas. Cependant, si elle était partie de son plein gré, elle n'aurait eu aucune raison de cacher ce départ.

Quantin avait l'impression d'être entré non seulement dans un salon où l'air était irrespirable, mais aussi d'avoir mis les pieds en un univers extrêmement complexe, certainement pas très propre.

Marie-Louise renvoyée ! Malheureuse sans doute et qui avait peut-être eu faim pendant des semaines ! La rage qui était en lui se mêlait à une espèce de fierté, à une émotion qui faisait se plisser son menton.

C'était bien là le caractère de Marie-Louise. Elle n'avait rien dit, elle s'était débrouillée seule. Elle s'était accrochée, trop fière pour revenir ou demander de l'aide. Voilà qui expliquait bien des choses. Et ils lui en avaient tous voulu, de ne pas venir plus souvent ! Tous, même l'instituteur. S'il avait pu savoir !

Tout en louvoyant tant bien que mal entre les groupes, Quantin se répétait l'adresse du Salon Trianon. Ce devait être une rue plus petite. Et c'était un salon en étage. Probablement quelque chose de plus pauvre, où Marie-Louise devait gagner moins, se priver pour continuer d'envoyer des cadeaux à sa sœur et donner l'impression que sa situation s'améliorait.

A mesure que Quantin pensait à cela, sa colère revenait. Elle prenait forme et direction. Il pensait à sa femme qui lui avait toujours reproché de ne pas se déranger pour venir voir Marie-Louise.

— Ils l'exploitent. Elle est seule... Une gamine toute seule, mais tu t'en moques. Tu penses à tes terres, à tes livres, à discuter avec cet idiot d'instituteur.

C'était donc sa faute si Marie-Louise avait souffert ; s'il avait écouté Isabelle, ce Roberti n'eût certainement pas osé agir ainsi. Et le blanc-bec non plus. Isabelle avait toujours eu ce qu'elle appelait ses intuitions. Ce sens particulier qui lui permettait, à distance, de savoir qu'il arrivait à sa fille une chose heureuse ou déplorable. Elle le disait. Il y avait des jours où elle parlait de sa fille à chaque instant :

— Je sens que ça ne va pas. Et toi, tu est là ! Tu es là sans rien éprouver, comme s'il s'agissait d'une étrangère !

Quantin avait entendu cela des centaines de fois, tant et tant qu'il n'y prêtait plus attention. Et aujourd'hui, brutalement, il découvrait que sa femme avait raison.

Il s'arrêta soudain à un angle de rue. Il marchait en réfléchissant et sans prêter attention à son chemin. Il brodait. Il était parti de rien pour échafauder toute une histoire qui se trouvait peut-être fort loin de la vérité.

Il se secoua comme pour se réveiller un peu mieux. Après tout, sa fille avait sans doute changé d'employeur pour des raisons de métier, d'intérêt, pour...

Il ne savait rien de précis. Il se trouvait devant une espèce de vide qu'il fallait combler, et le mieux était encore d'aller tout de suite à ce Salon Trianon.

Quantin demanda la rue des Archers et reprit sa marche.

Ce salon en étage pouvait être important. Ou bien alors, il était plus petit mais plus sérieux. Il serait plus facile de voir les patrons.

Quantin ne parvenait pas à se faire une idée de ce que pouvait être un salon de coiffure en étage. Il ne connaissait que celui d'où il venait, les boutiques de Lons, et surtout la vieille échoppe sombre et grise du père Adrien. Il sentait bien que c'était stupide, mais cette pièce noire et enfumée s'imposait à lui de telle sorte qu'il ne parvenait plus à imaginer autre chose.

Il trouva aisément la rue des Archers où il s'engagea en regardant les numéros des immeubles. Ce n'était pas facile, à cause des enseignes lumineuses aveuglantes et des bâches qui cachaient les plaques. Deux fois de suite, des prostituées l'abordèrent, et il fut surpris de les voir là, en plein centre de la ville, à une heure où il y avait tant de monde dans les rues. Le quartier avait pourtant fort bon aspect. Il y avait beaucoup de magasins luxueux. Quantin se souvint d'un homme venu en vacances chez un voisin et qui leur avait affirmé que l'un des proxénètes les plus importants de Lyon était un commerçant honorablement connu et très considéré. Il repoussa ce souvenir qui l'agaçait en arrivant au moment précis où il allait retrouver sa fille. Il cherchait d'autres souvenirs ; des portraits qu'il avait lus de cette ville ou d'une autre et qui montraient combien une cité peut être un mélange étonnant. Il pouvait bien y avoir, dans la même rue, dans le même immeuble, le meilleur et le pire.

Il trouva le numéro qu'il cherchait, non loin de la rue de la République, plus large, plus éclairée et encore plus animée que les autres.

L'entrée de la maison était un porche assez important, avec un lourd portail de bois à deux battants, dont l'un était grand ouvert. Quantin remarqua tout de suite une plaque en matière plastique noire avec une inscription en blanc : « Salon Trianon. 2e étage. Sur rendez-vous. » Une autre plaque, en cuivre celle-là, était fixée au même montant de pierre grise et portait le nom d'un avocat. Quantin se sentit réconforté. Dans la maison où habitait un avocat, il ne pouvait y avoir qu'un salon de coiffure très important.

Quantin entra. Le couloir et l'escalier de pierre étaient éclairés faiblement. La peinture des murs n'avait plus de couleur, et le plâtre apparaissait, partout, rayé par des angles de meubles, écaillé, creusé parfois jusqu'à laisser voir le crépi grisâtre. Quantin regarda tout cela, respirant à petits coups prudents un air humide, tout imprégné d'une curieuse odeur de moisi et de fumée mêlés, qui semblait monter des caves par les claires-voies d'une porte située sous le départ de l'escalier. Quantin n'aimait ni le luxe ni le clinquant, mais il se mit à regretter le Salon Roberti. Il continua pourtant, se disant qu'un immeuble ne saurait être jugé sur sa seule montée d'escalier. Et puis, n'y avait-il pas la plaque rassurante de l'avocat ?

La porte palière du deuxième étage portait également le nom du salon, la mention « Sur rendez-vous » suivie, cette foie, de ces mots :

« Manucure. Messieurs seulement. »

Quantin demeura un peu surpris. Il savait que Marie-Louise avait également commencé d'apprendre ce métier de manucure, mais elle ne leur avait jamais parlé que de coiffure. Il revoyait ses lettres où elle ajoutait parfois d'amusants petits croquis, pour montrer à sa sœur le genre de pièce montée qu'elle construisait sur la tête de certaines clientes. C'était elle qui appelait cela des pièces montées. Quantin ne savait plus ce qu'il devait penser, mais il n'eut pas le temps de réfléchir davantage. Un pas descendait l'escalier, au-dessus de sa tête, et, comme s'il eût redouté d'être surpris devant cette porte, il se hâta de sonner. Un temps très court s'écoula, durant lequel il épia l'avance de ces pieds inconnus frappant la pierre des marches, et la porte s'ouvrit.

Une femme d'un certain âge le salua d'un sourire et d'un lent hochement de tête, puis s'effaça pour le laisser entrer. Il se trouva dans une petite pièce carrée, meublée seulement d'un guéridon minuscule, de deux fauteuils, d'une chaise et d'une tablette d'angle où se trouvait un appareil de téléphone. La femme le dévisageait d'un œil surpris, peut-être même un peu inquiet. Elle était petite, assez forte, avec un visage frippé sous un maquillage excessif. Ce que Quantin regardait surtout, c'était les cheveux de cette femme, blancs très luisants avec un reflet nettement bleu. La femme demanda :

— Vous venez pour prendre rendez-vous ?

Quantin pensa que cette question était tout à fait normale, et il sourit en disant :

— Non, madame, je viens seulement voir Marie-Louise Quantin.

Les boucles à reflets bleus tremblotèrent sur le front de la femme qui eut un air entendu pour expliquer :

— Oh, mon cher monsieur, elle n'est plus chez moi depuis pas mal de temps ! Mais ça n'a pas d'importance, nous avons des personnes très bien. Si vous voulez vous asseoir...

Quantin l'interrompit.

— Mais non, fit-il, je viens voir Marie-Louise, personne d'autre !

Il avait parlé assez fort, d'une voix dure et le visage de la femme s'était brusquement rembruni. Comme il se taisait, elle retrouva son sourire et eut un clin d'œil pour dire :

— Allons, voyons, on parle toujours comme ça, mais vous verrez, vous ne serez pas déçu...

La femme se tut. Une fois de plus son visage se métamorphosa tandis qu'elle examinait Quantin des pieds à la tête, s'attardant au paquet qu'il portait sous son bras. Elle fit une curieuse grimace pour demander :

— Ah ! Mais, j'y pense comme ça ; vous venez peut-être apporter une commission ?

— Je... C'est-à-dire... Enfin je venais la voir, je suis...

Quantin avait failli dire : « Je suis son père », mais il s'était arrêté. Quelque chose qu'il ne contrôlait pas vraiment avait retenu le mot dans sa gorge.

Pour sa part, la femme avait commencé une phrase qu'elle ne termina pas non plus :

— Vous êtes peut-être...

Ils se trouvaient là, l'un en face de l'autre, à ne plus savoir ni quoi dire ni quoi faire. Quantin balançait légèrement son grand chapeau noir au bout de son bras court ; il mordillait sa lèvre inférieure et sa moustache grise. La femme avait un visage mi-souriant mi-austère, un peu comme si certaine ride eût démenti ce qu'exprimait l'autre. Timidement, Quantin finit par dire :

— Je viens de la part de sa famille.

La femme parut un peu soulagée. Posément, elle expliqua :

— Eh bien, Mlle Quantin n'est plus chez moi. Voilà quelque chose comme trois mois qu'elle est partie.

— Trois mois ?

— Oui. Plutôt plus que moins.

Quantin regarda autour de lui. Il se sentait très loin de cette pièce. Comme isolé dans une brume où tout tremblotait. Il se raidit et demanda.

— Est-ce que vous pourriez me dire où il est possible de la trouver ?

— Oh ça ! fit-elle. Moi, vous savez, quand une employée me quitte, je n'ai pas l'habitude de...

Elle se tut soudain pour se retourner et crier en direction d'un petit couloir :

— Josette !

Une voix venue d'assez loin répondit :

— Oui ?

— Est-ce que tu sais où est partie Marie-Louise ?

— Elle ne m'a rien dit, mais je crois qu'elle bosse toute seule. Maintenant, vous dire dans quel coin, c'est une autre affaire. Mais je suppose qu'elle doit toujours avoir la même piaule.

La voix se tut et Quantin perçut un grincement de porte. La femme aux cheveux blancs lui demanda s'il connaissait l'adresse de Marie-Louise et il pensa qu'il devait s'excuser.

— Bien sûr, dit-il. Mais à cette heure-ci, je m'étais dit que j'aurais plus de chance ici...

— Evidemment. Mais allez donc chez elle, vous pourrez toujours donner votre paquet à sa concierge.

La femme avait retrouvé son sourire. Elle se dirigea vers la porte, et, comme Quantin la remerciait, elle dit simplement :

— Il n'y a vraiment pas de quoi, c'est tout à votre service.

10

Quantin marchait depuis un bon moment, lorsqu'il s'aperçut qu'il se trouvait dans la rue. Il avait descendu l'escalier sale du Salon Trianon sans même s'en rendre compte. Il s'approcha d'une vitrine très éclairée et ouvrit sa pelisse pour regarder sa montre. Il était 6 heures et demie. Le fond de la vitrine était un grand miroir où Quantin s'étonna de voir paraître son visage, son chapeau, sa pelisse, son paquet brun à ficelle blanche. De longs reflets de lumière morcelaient son image. Les lampes donnaient à son visage une couleur qu'il ne lui avait jamais vue. C'était même une couleur qu'il ne connaissait pas, qu'il n'avait pas rencontrée dans la nature. Il resta là, comme prisonnier dans ce miroir, comme attaché à ce double qui ne lui ressemblait que d'assez loin.

Par-delà ce double, des gens passaient, dont il entendait la voix et les pas derrière lui. Il les regarda un moment, étranger à leur monde en mouvement, étranger à tout ce qui ne se passait pas en lui.

— Marie-Louise...

Il répéta plusieurs fois ce prénom, en observant dans la glace le mouvement de ses lèvres. Il ne se regardait dans un miroir que les jours où il se rasait. Et encore, il regardait sa barbe, le savon moussant tout autour de sa moustache et de son nez ; il regardait sa main et son rasoir, mais pas ses yeux, pas le mouvement de sa bouche.

Est-ce qu'il se voyait vraiment pour la première fois ? Etait-ce réellement lui qu'il regardait ainsi ? Lui qu'il cherchait à travers ce visage engoncé dans la fourrure et à demi caché par l'ombre d'un chapeau trop large ?

Quantin s'arracha brusquement à cette devanture et se remit à marcher.

Marie-Louise ! Oui, Marie-Louise ! Il devait la trouver. Avant tout la trouver. Qu'y avait-il au juste ? Par deux fois en moins d'un an elle avait changé d'emploi sans rien dire. Pour le Salon Roberti, il y avait certainement eu quelque chose avec ce blanc-bec et la gamine trop maquillée. Marie-Louise n'avait rien voulu dire. Quant au deuxième, que fallait-il penser ? Quantin savait qu'il existait encore des lieux de rendez-vous, des maisons de tolérance déguisées, en quelque sorte. Il en avait même parlé avec l'instituteur un jour qu'il lui avait prêté *Bubu de Mont-*

parnasse, un très beau livre. Quantin se souvenait fort bien de leur conversation. Ils avaient conclu que cette prostitution semi-clandestine était le signe d'une grande hypocrisie. Et là, ce qu'il venait de voir ne pouvait être que cela. L'enseigne, la maison, cette femme aux cheveux bleus, son accueil. Alors, Marie-Louise serait entrée là ! Elle y aurait séjourné ? Est-ce qu'on embauchait réellement des jeunes filles comme manucures sans leur avoir dit ce qu'on exigerait d'elles ? Enfin, Marie-Louise ne pouvait pas...

Quantin s'arrêta de nouveau. Il porta sa main à sa poitrine et tout son visage se contracta en une grimace de douleur. L'image venait de s'imposer à lui d'une Marie-Louise couchée avec un homme comme lui. Car la femme bleue l'avait pris pour un client de la maison. Pour un homme qui revenait coucher avec Marie-Louise. Il imaginait une chambre pareille à celles des mauvais hôtels décrits dans certains livres. Il n'avait jamais couché dans un hôtel, mais il voyait sans peine ce que pouvait être une chambre pareille. Pauvre, plus ou moins propre. Il voyait l'homme et la fille se préparant, mais tout s'arrêtait avant leur accouplement. C'était impossible. Il ne pouvait pas imaginer le reste. Pas avec Marie-Louise. Une fille pareille. Fière. Pourrie d'orgueil, comme disait sa mère les jours où elle lui en voulait trop d'être partie.

Quantin respira profondément et se remit à marcher. Il y avait toujours autant de monde dans les rues, mais il se sentait plus seul qu'au milieu d'un bois ou d'une vigne.

Non, Marie-Louise ne pouvait pas avoir accepté ça. D'ailleurs si elle avait accepté, elle n'eût pas quitté cette maison. On avait dû l'embaucher comme manucure, pour la façade, la couverture, et elle avait sans doute été dégoûtée par ce qui se passait à côté d'elle. Ce ne pouvait être que cela. Elle n'en avait jamais parlé, pour ne pas les inquiéter. Et puis, on n'explique pas ça dans une lettre. Surtout pas à une mère.

Quantin était effrayé. Il venait de mesurer à quel point les reproches de sa femme étaient justifiés. Il avait fallu qu'il fût inconscient pour laisser cette gamine toute seule dans une ville pareille, sans même venir s'informer des conditions dans lesquelles elle vivait. Une fille seule, si jeune, exposée à tout, même à la prostitution. A cause de lui, Marie-Louise avait sans doute frôlé le pire.

Quantin s'accrochait au visage de Marie-Louise, à son regard bien droit, à son rire franc. Il était impossible qu'elle ne fût pas restée cette fille propre, honnête, solide, têtue, obstinée dans tout ce qu'elle entreprenait.

Une chose l'intriguait encore : cette voix de fille qui avait dit : « Elle doit travailler seule ! » Est-ce que Marie-Louise avait essayé de monter une boutique, toute seule, sans en parler ?

Cette idée l'inquiétait mais le réconfortait aussi. Déjà, toute petite, Marie-Louise avait la passion des surprises. Elle les préparait longuement, sans ménager sa peine, en dépensant des trésors d'habileté pour tout cacher jusqu'à la dernière minute. Et elle le faisait toujours seule. Lorsque tout était terminé, elle voyait ses parents éberlués, et elle était heureuse. Elle était cent fois payée de sa peine ; il suffisait de la regarder pour s'en convaincre. Somme toute, une affaire pareille était bien dans son tempérament.

Quantin fignolait cette idée. Il s'y enfermait un peu comme sa fille avait rêvé de le faire dans sa petite maison pareille à une crèche. Si Marie-Louise s'était installée à son compte, elle devait avoir beaucoup de dettes, beaucoup de charges et cela expliquait qu'elle n'eût pas pris de longues vacances. Et ils lui en voulaient ! Ils avaient cru, à certains moments, qu'elle se détachait d'eux ! Qu'elle préférait sa vie de la ville !...

Quantin buta, cette fois, sur l'idée de l'instituteur. Si Marie-Louise avait ouvert une boutique, si elle travaillait depuis des mois pour la payer, il n'y avait plus d'espoir de la ramener au pays.

Cette pensée l'agaçait un peu ; il la chassa pour revenir au présent. Si Marie-Louise avait acheté une boutique, elle devait travailler fort tard et il n'avait aucune chance de la trouver dans sa chambre à une heure pareille. Il devait donc attendre. Il regardait autour de lui, cherchant un café, lorsqu'il pensa à la concierge. Les concierges sont des femmes qui savent tout. Elles connaissent toujours la vie des locataires de leur immeuble. Celle de Marie-Louise pourrait certainement donner l'adresse de sa boutique.

Quantin demeurait vraiment attaché à cette boutique. Pour lui, elle existait déjà. Il avait eu du mal à imaginer un quelconque salon, mais il voyait avec beaucoup de netteté cette boutique minuscule, bien chaude, pas trop parfumée, où sa fille besognait seule. Il la devinait aimable avec ses clientes, adroite, amoureuse de son travail. Longtemps, un métier pareil lui avait paru ridicule et inutile ; aujourd'hui, tout commençait de prendre un sens.

Il marcha encore un moment, regardant les vitrines avec l'espoir inavoué de découvrir une porte où son nom serait inscrit, puis il prit à droite pour gagner la rue de la République. Là, un agent de police lui expliqua où se trouvait la rue de l'Arbre-Sec. Il devait remonter la rue de la République, et il la traverserait. Il se souvint d'ailleurs que Marie-Louise avait expliqué que sa chambre n'était pas très éloignée du Salon Roberti. De fait, Quantin allait emprunter une rue parallèle à celle qu'il avait suivie tout à l'heure. Seulement, celle-ci était beaucoup plus large et la circulation y était encore plus intense.

Le long des trottoirs, des sapins avaient été dressés dont les branches portaient toute une floraison d'ampoules multicolores. Sur une place, à côté d'un monument, il y avait un sapin beaucoup plus haut que les autres et devant lequel était installé un chaudron suspendu à un trépied. Des gens venaient y jeter des pièces de monnaie, d'autres apportaient des colis qui s'empilaient à côté du trépied. Une femme de l'Armée du salut, debout et sautillant sur place dans son uniforme bleu, agitait sans relâche une clochette.

A plusieurs reprises, Quantin fut bousculé par des groupes de jeunes gens qui criaient très fort. Lorsqu'ils arrivaient en courant, les personnes âgées elles-mêmes s'écartaient pour leur livrer passage, et tout le monde semblait trouver cela naturel.

Quantin avait cessé de regarder les boutiques. Il savait bien que Marie-Louise ne pouvait pas s'être installée dans une artère pareille. A présent, il scrutait les visages, tous les visages de filles, mais aucune ne ressemblait à Marie-Louise. Aucune ne pouvait lui ressembler.

Il mit longtemps à atteindre cette rue de l'Arbre-Sec, mais, une fois là, il trouva tout de suite l'immeuble où demeurait Marie-Louise.

Le couloir d'entrée était assez large, sombre, mais propre et sans odeur. La loge de la concierge, fermée par une porte vitrée aux rideaux tirés, se trouvait à l'entresol. Sur le tableau des locataires, il lut : « QUANTIN, 5e gauche. » Il réfléchit quelques instants, puis, renonçant à frapper, il monta l'escalier. Comme il n'était pas habitué aux étages, il était trempé de sueur et très essoufflé en arrivant en haut.

A chaque palier, il avait remarqué deux portes mais, au cinquième, il y avait un palier plus large d'où partaient deux couloirs. Une dizaine de portes toutes semblables donnaient sur ces couloirs. Quantin avança en évitant de faire du bruit, ce qui n'était guère possible en raison du sol carrelé dont beaucoup de briques étaient descellées. Il y avait un nom sur chaque porte : inscription à même la peinture grise ou carte de visite collée. Il trouva la carte de Marie-Louise maintenue par quatre punaises rouges sur la dernière porte de la travée de gauche. Son cœur battait à un rythme très accéléré, et il se répétait que c'était uniquement à cause de ce maudit escalier qu'il avait grimpé trop vite. Il attendit quelques instants, essayant de s'imposer une respiration plus mesurée. Il frappa plusieurs fois. Il n'y avait personne. Quantin soupira. Il avait eu tort de monter sans rien demander à la concierge.

Il retourna jusqu'au palier et l'idée lui vint alors d'attendre là, assis sur une marche. Il ne faisait pas froid et l'immeuble paraissait désert. Appuyé à la rampe de bois, il écouta, tendu vers le bas. Rien ne bougeait et seul le bruit d'un poste de T.S.F. montait des étages inférieurs. C'était une musique assez douce et que Quantin écouta un moment avec un certain plaisir.

Il allait peut-être se décider à rester, lorsqu'il entendit un bruit de porte dans un des couloirs. On pouvait le trouver là, s'étonner de sa présence... Il se dit que Marie-Louise risquait d'en être gênée et il descendit.

Dès qu'il eut frappé, la porte vitrée s'ouvrit. La

concierge était une femme assez forte, au visage bouffi et renfrogné.

— Qu'est-ce que c'est ? demanda-t-elle.

— Mlle Quantin...

— Cinquième gauche, au fond du couloir. C'est écrit là.

Elle désignait le tableau de son doigt boudiné.

— Je sais, dit-il, je suis monté, mais il n'y a personne.

— A cette heure-là, évidemment !

La femme répondait sèchement, tenant derrière son dos la poignée de sa porte restée entrebâillée. Un enfant qui avait écarté l'angle du rideau écrasait son nez contre la vitre. Il était très brun de peau, et ses cheveux noirs tout bouclés retombaient jusque sur ses yeux sombres.

— Pouvez-vous me dire où elle travaille ? demanda Quantin.

— Où elle travaille ?

La concierge eut un petit rire et fit un geste du menton comme pour montrer la rue. Son regard était pénible à supporter.

— Mon pauvre monsieur, reprit-elle, c'est pas à moi qu'il faut demander ça !

— Vous pouvez peut-être me dire à quelle heure elle rentre ?

Le sourire de la femme disparut. Elle baissa la tête dans un geste qui fit ressortir son triple menton, puis, plus dure, comme blessée par une telle question, elle lança :

— Vous savez, moi, je ne suis pas une commère. La vie privée des gens ne me regarde pas. Tout ce que je peux vous dire, c'est qu'il vaut mieux venir le matin. Pas trop tôt. Enfin, avant midi, quoi.

— Avant midi...

— Ben, oui.

— Et vous ne pouvez vraiment pas me dire...

— Absolument pas. Mais si vous voulez me laisser une commission, je suis là pour ça.

Elle désignait du doigt le colis que portait Quantin.

— Non, merci, fit-il.

La concierge eut un petit geste évasif ; comme elle allait se retourner, Quantin demanda encore, presque implorant :

— Vous ne savez vraiment pas vers quelle heure elle peut rentrer ?

— Pas avant 1 heure ou 2 du matin.

Déjà la femme poussait sa porte et pénétrait dans cette cuisine d'où coulait comme une belle eau une chaude odeur de soupe aux légumes.

Quantin ne bougeait pas. La porte se referma, puis le visage de l'enfant disparut, le rideau retomba et Quantin ne vit plus, sur la vitre, qu'un tout petit rond de buée qui diminuait peu à peu.

L'enfant devait jouer derrière cette porte dont le rideau remua encore plusieurs fois. L'œil fixe, Quantin se tassait peu à peu sur soi-même ; il demeura ainsi une longue minute puis, lentement, il regagna la rue.

11

Une fois dehors, Quantin regarda sur sa droite, du côté de la rue de la République. La foule paraissait toujours aussi compacte sur les trottoirs bordés d'arbres de Noël. Dans la direction opposée, la rue de l'Arbre-Sec semblait, au contraire, s'enfoncer dans une nuit sans vie. Quantin se dirigea vers ce froid et cette obscurité.

Il allait lentement, tantôt sur le trottoir étroit, tantôt sur les pavés glissants. Aux endroits où la boue grisâtre qui recouvrait le sol était peu épaisse, le gel prenait déjà. Le pavé scintillait. Plusieurs fois, Quantin faillit tomber. Il se sentait maladroit et jamais vraiment sûr de son pas.

La rue débouchait sur un quai planté de gros platanes dont l'écorce luisait. Les lampes assez espacées ménageaient de larges zones d'ombre où le froid paraissait plus vif encore. Les passants peu nombreux se hâtaient de gagner les rues mieux éclairées. Sur la murette bordant le trottoir, la neige demeurait blanche, mais les enfants y avaient creusé de longs chemins avec leurs mains en ramassant de quoi rouler des boules.

Quantin s'approcha de ce mur. En contrebas, pardelà la berge où se devinaient des voitures alignées, c'était la Saône. Les lampes de l'autre rive se reflétaient dans l'eau noire. Le courant et les remous torturaient ces reflets; puis, par moments, un coup de vent courait, éparpillant tout en étincelles minuscules. Il y avait ainsi beaucoup plus de lumière dans l'eau que sur le coteau d'en face où s'étageaient des maisons aux fenêtres éclairées. Plus les maisons étaient hautes et loin, plus leurs lumières se nimbaient d'un halo. Il n'y avait pas d'étoiles. La lueur qui montait de la ville semblait rencontrer comme un plafond cotonneux posé sur les toits les plus élevés.

Quantin regardait tout cela sans rien voir vraiment. Depuis qu'il avait quitté ce couloir, cette porte de loge, il n'était plus le même. Quelque chose de nouveau l'habitait qui n'était pas réellement une douleur, mais le tenaillait, l'obligeait à rechercher l'ombre, le froid, cette solitude jamais absolue sur ce quai.

Il se contraignit à regarder n'importe quoi. Les reflets, les maisons, les arbres, leur ombre sur la boue du trottoir. Et il avait beau regarder, Marie-Louise était plus proche que tout ce qu'il voyait. Elle était là, en lui, avec son visage de gamine tour à tour grave et rieur, avec son regard toujours net et franc. Il y avait cette Marie-Louise, et une autre fille, qui lui ressemblait vaguement, mais qui n'était pas elle. Une fille que Quantin ne parvenait pas à saisir, dont les traits, les gestes, les attitudes lui échappaient. Non, non, non ! Marie-Louise ne pouvait pas être ça ! C'était impossible. Il y avait un malentendu, une erreur qui se prolongeait, une suite de malchances qui pouvaient faire croire tout autre chose que la vérité.

Est-il possible qu'une coiffeuse travaille la nuit ? Est-ce qu'il n'existe pas des salons où les gens vont après leur journée ? N'y a-t-il pas des coiffeuses dans les théâtres, pour les artistes ? C'était peut-être ce qu'elle avait voulu leur cacher. Et c'était ce qui expliquait le mieux le fait qu'elle travaillait les jours fériés.

Quantin se répétait cela. Obstinément. Comme pour interdire à toute autre idée de pénétrer en lui. Malgré tout, ce qu'il éprouvait déjà si fort, ce qu'il n'identifiait pas encore exactement était là, dans sa poitrine, à le serrer, à le pincer, à commencer un petit travail de rongeur obstiné que rien n'arrête jamais.

Il continuait de longer le quai. Il marchait sans savoir qu'il marchait, et le rongeur qui besognait en lui semblait suivre la cadence un peu pesante de son pas.

Ici, le froid n'était pas le même que dans son pays. Et la nuit non plus n'était pas la même. Rien ne ressemblait à rien. On voyait beaucoup plus de choses, et tout semblait vide, dénué de sens. C'était une de ces nuits où rien ne permet de marcher en conservant au fond de soi la certitude d'un but. On marche, et on se dit qu'il n'y a pas, au bout du chemin, la petite maison chaude à quoi l'on rêve depuis mille ans.

Passant sous une lampe, Quantin ouvrit sa pelisse et regarda sa montre. Il était un peu plus de 7 heures et demie. Isabelle et Denise avaient déjà terminé la vaisselle. Elles devaient parler d'eux. De Marie-Louise et de Quantin qu'elles imaginaient ensemble, au restaurant ou bien dans la chambre de Marie-Louise. Isabelle demandait à la petite si elle avait bien fermé l'écurie, et le poulailler, et la grange. Elle demandait tout en sachant fort bien qu'elle irait vérifier avant de se coucher. Elles étaient assises toutes les deux au coin du feu, à guetter les bruits du dehors. Denise avait allumé la lampe de la crèche, et parlait certainement de Marie-Louise :

— Quand on était petites, elle me causait toujours de la maison qu'elle aurait quand elle serait grande. Une maison comme la crèche, avec juste une petite fenêtre pour regarder la neige. Est-ce qu'elle a une maison comme ça, à Lyon, Marie-Louise ?

Quantin s'arrêta encore. Ces simples mots en lui venaient de provoquer un élancement qui lui coupa le souffle.

— Marie-Louise ! C'est pas possible...

Il avait parlé à voix haute. Il s'en aperçut et regarda autour de lui. Personne ! Il avait marché longtemps et atteint un endroit qui ne devait pas être très loin de la gare. Il ne savait plus s'il devait continuer ou revenir sur ses pas. Il fit passer son paquet de son bras gauche à son bras droit. Denise devait en parler, de ce cadeau. Quantin entendait les questions sans cesse répétées de la petite et les réponses agacés de sa mère.

— Elle va venir, hein ? Elle va venir avec papa ?

— Oui. Il faut attendre.

— Est-ce qu'ils viendront ce soir ? Demain soir ?

— Je n'en sais rien. Fais comme moi, attends.

— Pourquoi tu lui as donné le cadeau, puisque Marie-Louise va venir ?

— Denise, tu me fatigues !

— Moi aussi, j'ai préparé un petit cadeau pour Marie-Louise.

— Qu'est-ce que c'est ?

— Tu verras.

Quantin vivait tout cela. Là-bas, tout était ordonné, prévu, sans surprise. Tout se passait forcément ainsi dans la cuisine, dans cette maison enveloppée de nuit et de bise glaciale, mais qui savait se recroqueviller sur la chaleur de son feu de bois. Sur tout le coteau, il n'y avait que ce foyer. Le reste, c'était l'hiver. Une fois clos les volets des Quantin, c'était la nuit avec juste quelques petites fentes d'or que l'on ne pouvait voir qu'une fois passé le dernier tournant du chemin. Quantin avait envie de cette nuit. Elle l'attirait autant que le repoussait l'obscurité fade de la ville ; cette nuit jamais tout à fait nuit où coulaient d'invisibles ruisseaux de brume et de vent.

Il pensait aux bêtes, à l'odeur chaude et vivante de son écurie, à celles plus rares mais tièdes et agréables aussi des caves. Il y avait une odeur différente pour chaque cave. Celle des grandes futailles, faite de bois et de vin mêlés, avec toujours un arrière-goût de fermentation qui vous nettoyait la gorge. Ensuite, celle du caveau à bouteilles, une odeur qu'il fallait du temps à apprécier, une odeur qui vous emplissait la bouche de salive. A côté, celles des caves à pommes, à pommes de terre et à betteraves. Et Quantin avait toutes ces odeurs en lui. Il les retrouvait, bien distinctes, bien franches, sans équivoque possible. Et puis, il revenait toujours à la cuisine où Denise devait continuer ses questions :

— Où sont-ils en ce moment ?

— Chez Marie-Louise, certainement. A moins qu'ils soient encore au restaurant. En ville, on mange pas si tôt qu'ici... Ton père va coucher sur le divan... Ils vont sûrement bavarder assez tard.

Quantin regarda de nouveau tout autour de lui. Il avait eu envie de crier. D'appeler Marie-Louise très fort.

Dire qu'elle était là, dans cette ville, quelque part, peut-être à quelques pas de lui et qu'il ne pouvait pas la trouver ! Il y avait, dans cette situation, quelque chose qu'il ne pouvait admettre. Il se sentait devenir fou tant cela lui paraissait dénué de sens. Il était à la fois ici et chez lui, et en réalité, il n'était nulle part. Il voulait à tout prix s'éloigner de cette maison, s'en détacher pour ne s'occuper que de retrouver Marie-Louise. A force de se torturer, il finit par faire éclore en lui une espèce de joie sourde. Il dut résister à un rire douloureux qui lui nouait la gorge.

Il quitta son chapeau, ouvrit sa pelisse et prit un mouchoir pour essuyer la sueur qui venait de noyer son front et son visage en quelques instants. Le froid sur son crâne et tout autour de son corps lui fit grand bien. Il s'efforça de respirer profondément. Sa tête tournait un peu et il pensa que ce pouvait être la faim, mais la seule idée de nourriture, de restaurant, de magasin, suffit à lui soulever le cœur.

Lorsqu'il regagna le centre de la ville, il y avait déjà beaucoup moins de monde. Après ce rire empoisonné qu'il avait refoulé, il se sentait comme habité de bile. Il avait constamment envie de cracher, de se libérer d'une mauvaise maladie qui était certainement bien plus profond que le fond de sa gorge.

Il allait, sans savoir où, et il finit par s'arrêter devant la porte du Salon Roberti. Les vitrines et l'intérieur étaient toujours éclairés. Les mêmes ombres remuaient derrière le verre dépoli des cloisons. Quantin resta devant le seuil, à regarder l'entrée vide, jusqu'au moment où une femme apparut à l'une des portes. Alors, sans réfléchir, il partit très vite et tourna l'angle de la première rue avant de reprendre son pas habituel. Il avait conscience que ce qu'il faisait n'avait aucun sens, mais n'était pas tout à fait maître de lui. Il se disait que cela venait de la ville qui l'étouffait, de ce sol trop lisse où il ne se sentait jamais bien d'aplomb sur ses pieds.

Il n'avait pas l'intention de monter encore une fois les cinq étages de Marie-Louise, mais il retourna rue de l'Arbre-Sec. Arrivé dans le couloir, il n'hésita même pas. Ayant passé très vite devant la loge de la concierge, il atteignit d'une seule traite le palier du troisième.

Là, il dut s'arrêter. Le souffle lui manquait. Ses genoux s'étaient mis à trembler et il dut s'appuyer à la rampe. Il s'efforça de respirer plus lentement et plus profondément, un peu paralysé par la crainte de voir une porte s'ouvrir.

Les deux portes qui donnaient là étaient en chêne mouluré et verni, avec des poignées, des sonnettes, des entrées de serrures et des plaques de cuivre très bien astiquées. L'une de ces plaques portait un nom qui retint l'attention de Quantin. A cause d'un reflet du métal, il avait tout d'abord lu « Savagnin ». En réalité, le nom était « Savignin », mais il avait suffi de cela pour que Quantin évoquât le plan de vigne de son pays.

Lorsqu'il fut un peu reposé, il monta jusqu'au cinquième et alla frapper à la porte de Marie-Louise. Il n'y avait personne.

Dans la chambre voisine, des gens parlaient. Quantin tendit l'oreille. Il ne perçut que des voix de femmes et il eut un instant l'espoir que Marie-Louise était là. Il entendit :

— C'est trop cher. Faut pas acheter, c'est de la camelote. Et puis, c'est une règle générale : faut jamais rien acheter tout seule.

— Va donc chez Rantonnet, ou à la Manu, c'est moins cher.

— A la Manu, c'est pas mal, et ils font du crédit...

Il y avait bien trois voix de femme, mais pas celle de Marie-Louise. Il écouta encore un moment, partagé entre l'espoir et l'angoisse, mais non, elle n'était pas là. Il eut envie de frapper à cette porte, de demander si ces femmes connaissaient Marie-Louise. Quelque chose le retint. Il n'osait plus rien demander. Il voulait retrouver Marie-Louise, mais pas des gens qui lui parleraient encore d'elle sans la connaître vraiment.

Quantin s'éloigna lentement. Il regagna le palier et là, immobile, retenant son souffle, il demeura un long moment à écouter. Les voix de femmes n'étaient plus qu'un murmure lointain. Il y avait aussi d'autres bruits qu'il n'avait pas perçus en montant, et découvrait un à un. Ils venaient des autres chambres donnant sur le couloir, des étages inférieurs, de la rue peut-être. Par moments, ils étaient très distincts ; puis tout se mêlait pour ne plus former qu'un seul bourdonnement confus. Quantin ne savait pas si ces bruits se confondaient vraiment ou si le bourdonnement était en lui, en lui où s'était installée une espèce de fièvre.

Jamais encore il n'avait entendu cela. Jamais il ne s'était trouvé ainsi, tout seul en haut d'une cage d'escalier avec, autour de lui, la vie de toute une maison, de toute une ville. Penché par-dessus la main courante, il regarda un moment la fuite anguleuse de cette rampe qui faisait comme un puits. Il ne comprenait pas très bien ce qui se passait en lui. Il lui sembla soudain qu'il se trouvait réellement au centre de la ville, que toute la ville vivait intensément sous lui, autour de lui, mais que lui était réellement seul. Pas un autre homme ne pouvait être aussi seul. Est-ce que les femmes qui parlaient dans la chambre se sentaient seules ? Est-ce que ce Savignin était seul, même s'il se trouvait avec sa femme et ses enfants ? Est-ce qu'il ne lui était pas arrivé, à lui, Quantin, de se trouver terriblement seul en face de sa femme et de sa fille, en plein repas, dans sa propre maison où tout était vie et chaleur ? Il pensait au vide des regards, à ce sentiment qu'il avait si souvent éprouvé d'une distance infranchissable le séparant des deux femmes attablées avec lui. Dans ces moments, il pensait à Marie-Louise. Elle était physiquement absente, il ne savait même pas où elle se trouvait exactement, il ne connaissait rien des lieux où elle vivait, rien qui pût lui permettre de l'évoquer, et pourtant il la sentait près de lui. Tout cela se brouillait un peu. Etait-il plus seul ici que chez lui ? Il n'avait qu'une porte à ouvrir, à forcer d'un coup d'épaule pour se trouver chez Marie-Louise. Il pourrait l'attendre en pensant à elle, en regardant ce qui portait l'empreinte de sa présence.

Sa douleur dans la poitrine le poignarda de nouveau. Il venait de se voir assis chez elle. Elle rentrait, mais elle n'était pas seule. Et l'homme qui accompagnait Marie-Louise était son double. Il ressemblait à ce vieux à chapeau noir et pelisse démodée qu'il avait vu tout à l'heure, dans cette vitrine de magasin.

Pour se débarrasser de cette idée, Quantin commença de descendre l'escalier. En passant devant chez Savignin, il eut un instant l'idée de sonner pour demander l'hospitalité. A la campagne, un homme qui arrive à la ferme le soir, on le reçoit, on lui donne la soupe et la paille : il n'est plus seul. On l'écoute raconter son histoire s'il en a envie, comme on respecte son silence s'il tient à le garder. Il continue d'être seul, et il n'est plus seul.

Est-ce que Savignin ou son voisin de palier, ou un autre encore pouvait admettre cela ? Est-ce qu'il pouvait comprendre que l'on peut se trouver aussi perdu dans une ville qu'en pleine forêt inconnue ? A la campagne, on trouve toujours une grange, une écurie, une meule en plein champ où l'on peut creuser son trou et se couler comme un renard. C'est bon, quand l'hiver ruisselle, le cœur sec et tiède d'une meule !

Ici, il n'y avait que la nuit avec ses lampes plus froides que le vent. La nuit et le vide.

Dans la loge de la concierge, la télévision fonctionnait. Quantin le devina aux lueurs bleutées qui jouaient sur le rideau. La musique et les voix le suivirent jusqu'à la porte donnant sur la rue.

Le froid était vif. Il y avait beaucoup moins de monde. Une brume où se mariaient toutes les couleurs des enseignes lumineuses venait de la Saône, épaisse comme la fumée d'un feu d'automne mouillé.

12

Quantin avait relevé le col de sa pelisse. Il allait, la tête rentrée entre les épaules, mais le froid était en lui. Le froid marchait du même pas que lui, et il sentait que tout effort pour le fuir serait peine perdue. Il pensa un instant entrer dans un café, mais il comprit que le froid entrerait avec lui.

Il reprit la rue de l'Hôtel-de-Ville, traversa la place Bellecour presque déserte, et suivit la rue Victor-Hugo où les passants étaient de plus en plus rares. Et le livre lui revint en mémoire, car c'était à présent que la ville ressemblait vraiment à celle qui s'y trouvait décrite. Une ville d'où les hommes devaient s'être enfuis devant la montée de cette brume tout engluée de nuit. Sans doute y avait-il de la vie derrière toutes ces fenêtres aux rideaux tirés, mais ce n'était qu'une vie lointaine, sans lien avec celle que Quantin sentait s'évaporer de son corps.

Quelques trolleybus circulaient. Lorsqu'ils longeaient le trottoir, la boue de neige giclait, et pourtant le milieu de la chaussée était déjà presque sec. Par endroits, le sel répandu faisait de larges taches d'un gris poussiéreux qui brillait aussi, mais d'un éclat différent.

Quantin essayait d'accrocher son attention à tout ce qui l'entourait. Et lorsque Marie-Louise s'imposait par trop, il tentait d'évoquer les souvenirs de son enfance, la maison, la photo d'elle posée sur le buffet de la cuisine.

Marie-Louise n'était pas rentrée. Elle ne se trouvait pas dans sa chambre. Elle avait quitté le Salon Roberti ; elle avait réussi à s'échapper de cet autre Salon tenu par l'horrible femme aux cheveux bleus. Marie-Louise travaillait seule. Personne ne savait où elle travaillait. Et alors ? Est-ce qu'il y avait de quoi s'alarmer ? N'était-ce pas naturel qu'une fille comme elle se fût évadée de cette maison toute en glaces et qui sentait si mauvais ? Pouvait-on vivre là et continuer d'être une femme ?

Il fallait être fou pour aller imaginer que Marie-Louise avait cessé d'être la fille honnête qu'il avait laissé s'en aller seule, un matin où le travail l'appelait à la vigne. Bien sûr, aux dernières vacances, elle avait un peu changé. Mais n'était-ce pas la ville qui l'avait légèrement marquée, et rien de plus ? Rien de grave surtout. Ce qui compte, c'est le cœur, l'esprit, pas la couleur des cheveux !

D'ailleurs si elle avait pu s'entendre avec un être aussi simple que l'instituteur, c'était bien la preuve qu'elle demeurait, au fond d'elle-même, semblable à lui, semblable à eux tous qui vivaient là-bas, loin de la crasse.

Marie-Louise travaillait. C'était tout. Et s'il ne pouvait pas la voir ce soir, il la verrait demain.

Il allait passer la nuit à la gare. Etant soldat, il lui était arrivé de dormir dans une salle d'attente. Il allait retrouver un peu de sa jeunesse. Voilà, il n'y avait rien de plus dans cette aventure. Ce qui était stupide, c'était d'être arrivé sans avoir prévenu. Après tout, même hors de son travail, Marie-Louise pouvait être retenue le soir.

Quantin entra dans le grand hall de la gare. Il était un peu plus de 9 heures.

Et si Marie-Louise avait pu se libérer au dernier moment ? Si elle avait pris le train toute seule ?... Quantin réprima une soudaine envie de rire. Non, ce serait trop ridicule. Il devait s'arrêter de faire constamment des suppositions, d'imaginer ceci ou cela tant qu'il ne saurait rien de plus précis.

Il voulut s'intéresser à la bibliothèque où beaucoup de livres étaient exposés, mais cette seule idée du train avait suffi à le ramener au pays. Dans la petite gare mal éclairée et vide, l'instituteur avait dû attendre. Et à présent, c'était fini. Après ce dernier train, on fermait la gare jusqu'au matin. Tout était vide, obscur, froid, avec les guêtres de Quantin que le chef avait rangées dans un casier de son bureau. L'instituteur était rentré seul chez lui. Il était tout occupé de Marie-Louise. Tout plein d'elle comme Quantin, mais d'une autre manière. Plus douloureuse peut-être. Il devait penser qu'elle avait rencontré ici un garçon qu'elle aimait.

Après tout, c'était peut-être vrai. Elle avait pu monter une boutique avec un garçon, ou un homme âgé.

On en voit tous les jours, qui placent ainsi leur maîtresse. C'était peut-être ce qu'elle tenait tant à cacher. L'homme qu'elle aimait n'était sans doute pas libre. Est-ce que tous ces gens qui avaient renseigné Quantin n'étaient pas un peu jaloux d'elle ?

Une fois de plus, Quantin fit un effort pour ne plus penser qu'à elle.

Un grand nombre de voyageurs se pressaient devant les guichets de distribution des billets. Il y en avait partout, dans toute l'immense salle des pas perdus, dans l'entrée, dans la salle de renseignements qui prolonge l'entrée, et même sur la place où les taxis défilaient, où les voitures paraissaient si bien enchevêtrées que l'on pouvait se demander si les chauffeurs parviendraient à les tirer de là. Quantin circula un moment, regardant tout mais pensant surtout à la nuit qui menaçait d'être longue.

Il avait voulu rire à propos de la salle d'attente, mais une sorte de rage le prenait à l'idée que Marie-Louise se trouvait dans cette ville ; qu'elle y avait une chambre avec un divan pour lui et qu'il était là, à se morfondre tout seul.

Il alla jusque devant le buffet qui était archiplein de gens installés à boire et à manger. On leur servait des assiettes où il y avait beaucoup de choses mêlées, salade verte, œufs durs, charcuterie et de la sauce très jaune qui n'avait pas bonne tournure. En voyant cela, Quantin pensa seulement à du pain. Un gros pain comme celui qu'apporte le boulanger de Saint-Germain-les-Arlay et qui n'est pourtant plus comparable à celui que les Quantin cuisaient autrefois dans leur four.

Ce soir, dans le four, il y avait la crèche.

Est-ce que les femmes étaient déjà couchées ? Non, certainement pas. Elles avaient entendu passer le train. Elles avaient alors attendu une bonne demi-heure en ouvrant plusieurs fois la porte sur la nuit froide. Elles avaient allumé la lampe de la cour.

C'était pénible, de revenir sans cesse à cette idée de l'attente, des femmes toutes seules, de cette crèche dans la gueule de l'ancien four à pain. Et l'idée du pain ! Ce gros pain à croûte épaisse qui vous fait venir de la salive plein la bouche. Penser au pain quand on n'a pas faim et qu'on cherche sa fille ; et qu'on cherche une banquette de gare où passer la nuit.

Comme il frissonnait, Quantin se dit qu'il pouvait au moins boire une tasse de café ou un bol de bouillon. Il retourna vers le buffet mais la densité des clients assis et debout partout le fit reculer. Il regagna la salle des guichets, toujours avec son idée de gros pain à croûte épaisse et brune. Il n'aurait jamais cru que le pain puisse tenir une si grande place dans l'esprit d'un homme qui n'a pas envie de manger. Mais, à vrai dire, il n'y avait pas que le pain. Il y avait la longue table avec sa toile cirée à fleurs, le litre de vin, les oignons, les haricots à écosser, le bois pour le feu. Tout cela était dans la maison, mais comme séparé de celles qui y vivaient. Il y avait en lui une place pour les deux femmes et la chatte, et une autre pour tout le reste. Il voyait cela très nettement, par moments, puis certains points se brouillaient. La chatte, par exemple, pouvait aller de l'une à l'autre des deux images. Quantin n'avait jamais rien vu ainsi. Jamais il n'avait eu la tête si occupée.

Car tout y était, même la ville et les gens qu'il venaît de rencontrer. Même en lisant un livre comme ceux des auteurs russes où les noms des personnages sont si difficiles à retenir, jamais le monde ne lui avait paru si complexe.

Il en arrivait à se demander s'il n'était pas devenu fou. S'il était réellement venu là pour y chercher sa fille, et si sa fille avait jamais habité l'immeuble où il s'était rendu.

Il resta encore un temps à marcher de long en large dans le grand hall, puis, comme il se sentait la tête lourde, il retourna sur l'esplanade. Appuyé contre la rambarde de métal glacé, il contempla longuement la place en contrebas, respirant à longs traits la brume de la nuit ; lâchant de loin en loin la rampe pour appliquer sa main glacée sur son front brûlant.

13

Quantin regardait les petits jardins sous la neige. Il n'y avait personne autour de lui, et là, il se sentait moins seul, moins éloigné de sa maison que dans la cohue. Réellement, parmi ces femmes, ces hommes, ces enfants, chargés de valises, de sacs énormes, de skis ou même de traîneaux, il se sentait mal à l'aise, comme si ces gens-là n'eussent pas été de la même espèce que lui.

Vint un temps où il comprit qu'il devait s'en aller. La brume l'enveloppait, pénétrait en lui, le glaçait lentement. Il quitta sa place à regret, revint vers la gare où il dut faire la queue un long moment pour acheter un billet de quai.

La salle d'attente où il pénétra enfin était bondée. Des voyageurs étaient affalés sur leurs bagages, d'autres debout, adossés aux murs ou aux radiateurs du chauffage central. Ces gens qui partaient en vacances avaient des visages tristes, maussades, des airs de regret, de fatigue et d'ennui.

Quantin posa son paquet à ses pieds, et s'adossa contre une cloison. Il se dit que tous ceux qui étaient debout devaient, comme lui, guetter le départ d'un voyageur assis pour se ruer sur sa place.

Un haut-parleur annonça une arrivée et un départ. Il y eut un mouvement parmi les voyageurs, certains sortirent, d'autres changèrent de place, mais Quantin resta où il était. Le train annoncé arriva, et bientôt tout un lot de nouveaux visages, de nouvelles valises, de nouveaux skis entra. Et tous se ressemblaient. Et d'autres trains passèrent, et tout finit par faire un long va-et-vient, un long bruit continu auquel on finissait par s'habituer.

Quantin trouva enfin un coin de banquette où il put s'asseoir, son colis sur les genoux. Là, il pensait dormir un peu, mais, dès qu'il fut installé, l'engourdissement contre lequel il avait dû lutter jusqu'alors s'évanouit. De nouveau il était parfaitement éveillé, de nouveau sa tête fermentait.

Il était près de minuit, et Marie-Louise devait être rentrée. Et il était là, stupidement, alors qu'il eût été si simple de laisser un mot sous la porte et d'attendre dans le café le plus proche. Et c'était à présent qu'il y pensait. Il s'était torturé avec des idées de vieux fou, il avait fait tant et si bien que son cerveau malade n'avait même pas eu la plus simple, la plus logique des idées. Pauvre idiot !

Furieux il se leva, reprit son colis sous son bras et partit très vite. Si la petite était déjà rentrée, il allait la réveiller. Il n'avait pas une minute à perdre.

L'esplanade de la gare était beaucoup moins encombrée, et toute une file de taxis stationnait. Sans hésiter, comme un homme qui fait cela tous les jours, Quantin se dirigea vers le premier et demanda au chauffeur de le conduire rue de l'Arbre-Sec.

— Eh bien, montez, dit l'homme.

Quantin fut surpris qu'on lui ouvrît la portière de derrière, mais il monta en hâte, heurtant la carrosserie du fond de son chapeau qu'il rattrapa en l'écrasant à moitié sur son épaule. Le taxi démarra. La ville était presque déserte et le gel chantait sous les roues. Quantin regardait attentivement le chemin. La voiture emprunta une voie parallèle à la rue Victor-Hugo, mais plus étroite, s'arrêta à un feu rouge, repartit, contourna la place Bellecour et s'engagea dans la rue de la République. Tout alla très vite et l'homme demanda cinq cents francs. Quantin paya, et se retrouva seul sur le trottoir devant la porte close. Il essaya d'ouvrir, chercha s'il y avait une sonnette, mais ne trouva rien. Alors, ôtant son chapeau pour essuyer son front ruisselant, il eut un grand éclat de rire. Il était allé faire l'imbécile à la gare, pendant ce temps Marie-Louise était rentrée, et elle ne savait même pas qu'il était là ! Là, tout près, en bas de chez elle, dans cette rue où la brume était comme une eau coulant d'un fleuve à l'autre.

Voilà ce qu'il avait fait, lui, le paysan lourdaud, l'homme au cerveau plus brumeux que le ciel de cette ville pourrie. Ce rire qu'il avait ravalé d'un coup l'empoisonnait. Il le sentait bouillonner en lui comme une mauvaise vendange qui lâche des aigreurs.

Ce n'était pas une fermentation saine, c'était un remuement de toute la lie.

Alors, il allait rester là ? Repartir à la gare ? Entrer dans un bistrot ? Et si Marie-Louise arrivait à présent ?

Il se mit à marcher de long en large, traversa plusieurs fois, revint, se contraignit à examiner longuement les devantures encore allumées. La concierge avait parlé de 2 heures du matin. Mais pouvait-on croire une concierge ? Est-ce que cette femme n'était pas une mauvaise langue qui prenait plaisir à porter tort à Marie-Louise ? Marie-Louise était une fille trop pleine de qualités pour être sans provoquer la jalousie. Les médiocres cherchent toujours à nuire aux gens dont ils envient la réussite. C'était certain : Marie-Louise était rentrée, elle dormait tranquillement sans se douter que son père s'était laissé monter le cou par une peste de concierge.

Pris de colère, Quantin s'approcha de la porte avec l'intention de cogner du pied pour réveiller cette grosse femme. Il se retint pourtant. Il ne pouvait pas faire cela. Marie-Louise ne le lui pardonnerait pas.

Il allait donc continuer d'attendre. Il se remit à marcher, et tout ce qui s'était amassé en lui se fondait en une terrible colère qu'il tournait contre lui, contre lui seul qui ne pouvait avoir que des initiatives imbéciles.

A présent qu'il avait commis cette sottise, il devait payer. Au lieu d'attendre Marie-Louise dans un café, il l'attendrait ici. D'ailleurs, les cafés fermaient sans doute à minuit. Tout était ridicule. Tout se contredisait en lui. Il s'épuisait à réfléchir alors qu'il n'y avait qu'une seule chose à faire : attendre.

Il était minuit et demie. Il attendrait donc jusqu'à 2 heures. C'était interminable, mais se morfondre ici ou à la gare, c'était la même chose. Il n'avait pas froid, au contraire. Il s'arrêta même de marcher car il continuait à transpirer et il savait que c'était dangereux avec un temps pareil.

La brume poursuivait son flux et son reflux, comme une eau repoussée tantôt par le Rhône tantôt par la Saône. Il y avait des remous autour des lampes, à l'angle des rues, et de longs couloirs clairs qui se déformaient peu à peu, effrangeant leurs parois impalpables. Les passants étaient rares. Les voitures empruntaient peu cette petite rue transversale.

La colère de Quantin allait et venait à l'exemple de la brume : mais avec des sursauts plus brutaux. Il était constamment tiraillé entre l'envie de rester et le désir de regagner la gare où, au moins, il aurait chaud. Car le froid le gagnait. Ses pieds surtout s'engourdissaient. Il battait la semelle et de longues douleurs diffuses partaient de ses orteils gelés pour monter le long de ses jambes.

Non, vraiment, il était fou de rester là. Marie-Louise était rentrée. Ou bien alors, elle ne rentrerait pas. Elle avait une liaison. C'était forcé. A son âge, et belle comme elle l'était. Quantin n'était pas révolté par cette idée. Il pensait seulement à l'instituteur. Il se disait aussi que Marie-Louise avait risqué le pire en séjournant dans cet infect Salon Trianon. Et puis, il ne pouvait rien dire. Il en avait assez de formuler des suppositions qu'il rejetait aussitôt. Il en avait assez de cette attente, de cette rue, de cette brume, de ce froid qui, à présent, l'habitait tout entier.

Brusquement, comme fouetté de ronces, sans même retourner jusqu'au porche clos, il reprit le chemin de la gare. Il était 1 heure et demie, et les rues étaient vides.

Arrivé à l'angle de la rue des Archers, il remarqua

plusieurs prostituées. Elles étaient immobiles, engoncées dans leurs fourrures comme lui dans sa pelisse. L'une d'elles l'appela, mais il évita de se retourner. Il y en avait deux autres, un peu plus loin, dont l'une paraissait toute jeune. Elles l'appelèrent aussi. Il passa sans broncher puis, ayant parcouru une dizaine de mètres, il s'arrêta, se retourna et revint sur ses pas. Il ne savait pas ce qu'il voulait faire. Rien. Certainement rien. Uniquement passer encore une fois devant ces filles et les regarder mieux.

Lorsqu'il arriva à leur hauteur, la plus âgée demanda :

— Tu as oublié quelque chose, mon chéri ?

Il ralentit.

— Viens, dit encore la fille.

L'autre s'était éloignée de quelques pas. Quantin s'arrêta et la prostituée le rejoignit.

— C'est pour moi, que tu t'es retourné ? demanda-t-elle.

Quantin était paralysé.

— T'as l'air frigo, dit-elle. Allons, viens !

Il fit quelques pas à côté d'elle puis, s'arrêtant brusquement, il bredouilla :

— Non... Je voulais seulement vous demander quelque chose.

— Tu veux savoir le prix ?...

— Non non... Je voudrais que vous me disiez...

Il se tut. La fille le regardait, l'œil mauvais. Elle avait des cheveux raides qui tombaient sur ses sourcils. Son visage était maigre, anguleux, avec une grande bouche mince.

— Alors, lança-t-elle, tu te décides ?

Quantin baissa la tête. Il se sentait ridicule.

— Non, non, fit-il. Non non, excusez-moi.

— Ça va pas bien, non ? J'ai une tronche qui te

revient pas ? Va te faire voir au musée, grand-père, avec ta peau d'ours.

Elle s'éloigna en direction de l'autre prostituée, et Quantin l'entendit encore crier :

— Non mais, t'as vu ce cinglé ! C'est le deuxième ce soir qui voudrait que je lui raconte ma vie. Ma parole, Noël, ça leur vaut rien, à ces tordus-là.

Lentement, la tête complètement vide, accablé par tout le poids de la nuit et de l'hiver, Quantin reprit sa marche dans les rues désertes.

14

Il n'y avait presque plus personne aux guichets de la gare. Quantin acheta un autre billet de quai, et regagna la salle d'attente. Là aussi le nombre des voyageurs avait diminué et il put sans peine trouver une place où s'asseoir. Il quitta sa pelisse qu'il posa à côté de lui avec son paquet.

Le visage de la prostituée était là, devant lui, avec son regard furieux au bord de cette frange de cheveux noirs. Il n'essayait même pas de s'en débarrasser. Au contraire, il la retenait. C'était ça, une prostituée ! Et on avait essayé de lui faire croire que Marie-Louise avait pu devenir ainsi ! Et le plus fort, c'est qu'il avait failli le croire. A présent, une moitié de lui se révoltait pour crier qu'il n'avait jamais rien cru du tout, et l'autre moitié lui reprochait d'avoir injustement soupçonné sa fille. Pauvre gosse que personne n'avait aidée et qui ne pensait sans doute qu'à travailler honnêtement ! Mais, est-ce qu'une putain peut continuer ainsi d'écrire à ses parents, d'embrasser sa mère et sa petite sœur ? Peut-elle utiliser l'argent gagné de cette façon pour des cadeaux à une gamine innocente ? Non, décidément, il fallait être fou pour avoir cru cela un seul instant. Il ne savait pas ce qui avait bien pu le pousser à parler à cette fille des rues, la fatigue, une minute de trop grand énervement, mais, somme toute, il avait bien fait. A présent, il se sentait plus calme. Il n'était pas trop mal sur cette banquette de bois et il allait peut-être pouvoir dormir quelques heures.

Il remâcha encore longtemps cette rogne qu'il nourrissait contre sa propre faiblesse, puis il commença de piquer plusieurs fois du nez. La fatigue beaucoup plus qu'un véritable sommeil pesait lourdement sur sa nuque et ses épaules. Il avait rabattu son chapeau sur ses yeux et s'adossa, la tête contre la manche de sa pelisse qu'il avait jetée sur le dossier de bois. Il réussit ainsi à s'assoupir un moment, mais il fut réveillé par le haut-parleur annonçant le départ du train à destination de Strasbourg. Dans une heure, ce train passerait chez lui. Ce bruit qu'il écoutait, Isabelle l'entendrait sans doute. Car elle ne dormait pas. Elle ne pouvait pas dormir. Elle était allongée dans son lit, bien raide, à la façon des morts, peut-être même ses mains croisées sur son estomac, tout comme les gisants. Elle attendait. Elle savait que rien ne pouvait arriver, mais elle écoutait vivre la nuit.

Ici, ce n'était pas la nuit que l'on pouvait entendre.

C'était un long bruit fait de mille bruits ajoutés l'un à l'autre par des hommes qui repoussaient la nuit loin de l'enceinte de cette gare. Mais là-bas, Isabelle pouvait l'entendre. Elle respirait fort tout autour de la maison. Elle montait de la plaine invisible, ou coulait des collines comme un fleuve. Son poids sur la maison faisait craquer la charpente, vibrer le volet. Son mystère inquiétait les bêtes qui tiraient sur leurs chaînes et battaient du sabot. Elle apportait de la forêt des odeurs de sauvagine qui affolaient les lapins qu'on entendait mener une ronde effrénée dans leurs clapiers sonores. Tout cela était là-bas où seule, sans doute, Denise dormait vraiment.

Dans sa chambre solitaire, l'instituteur essayait peut-être de lire pour trouver le sommeil.

Quantin changea plusieurs fois de position. Son front s'alourdissait, le battement du sang à ses tempes devenait perceptible, des ondes de chaleur et de froid se succédaient tout le long de son dos. Tout devenait pénible, le bruit, la porte qui claquait, le banc inconfortable et cette position assise dont il n'avait pas l'habitude. Il finit cependant par s'engourdir si bien qu'il éprouva comme une crainte du matin. Sans savoir pourquoi, il avait peur de l'aube et de l'instant où il devrait quitter cette gare.

Il la quitta pourtant bien avant l'aube. Il avait fini par s'endormir réellement, mais un cauchemar le réveilla : il était dans la rue, une putain l'abordait, lui parlait comme l'avait fait celle aux cheveux sur le front, et il la suivait. Il montait dans une chambre avec elle, et c'était seulement en regagnant la rue où l'attendait l'instituteur qu'il reconnaissait Marie-Louise. Réveillé soudain, et voyant que les gens le regardaient avec étonnement, il comprit qu'il avait crié. Il ramassa son chapeau qu'il brossa d'un revers de main, enfila sa pelisse, prit son paquet puis s'enfuit.

Ce fut seulement lorsqu'il eut atteint l'esplanade déserte qu'il prit conscience de l'énormité de ce qu'il venait de rêver. Et il s'était sauvé de cela. Sauvé comme pour échapper à un danger réel. Décidément, il fallait qu'il fût très fatigué pour en arriver à un tel degré de bêtise.

Il se mit à marcher vite. Il faisait très froid et les rues n'étaient peuplées que de rares silhouettes pressées.

Quantin passa sans s'arrêter devant plusieurs cafés qui lui parurent trop grands et trop luxueux. Sur une petite place, il en trouva un dont la salle étroite était toute en longueur, avec une seule rangée de tables. Un gros homme, en tricot de laine bleue à manches retroussées, se tenait derrière le comptoir où un client était accoudé devant un verre de vin blanc. La salle était vide. Quantin alla s'asseoir et commanda un café. Sans quitter sa place, l'homme demanda :

— Nature ? Crème ? Grand ? Petit ?

— Un grand, nature.

Une jeune femme entra en lançant :

— Jour, m'sieur Jérôme !

Le patron répondit :

— Salut, Ginette !

— Ça pince, ce matin.

— Oui, j'ai senti ça en ouvrant.

— Vous faites le réveillon, m'sieur Jérôme ?

— On reste ouvert jusqu'à minuit. Ensuite, eh bien, ma foi, on sait pas. Dans notre métier, vous comprenez, faut travailler quand les autres s'amusent.

— Nous, vous savez, expliqua la jeune femme, c'est un peu la même chose. Seulement, c'est la veille de fête qu'on en met un coup. Hier au soir, on a fini à 10 heures bien tassées.

— Mais ce soir, demanda le patron, vous êtes libres ?

— Ferait beau voir qu'on le soit pas. J'espère bien qu'à 8 heures tout sera bouclé.

Quantin eut envie de se lever pour demander à cette femme si elle était coiffeuse, mais il n'osa pas. Le patron venait de lui apporter une grande tasse blanche et épaisse où le café fumait. Il respira doucement l'odeur chaude qui lui faisait du bien.

La porte s'ouvrit. Un chien entra, tirant derrière lui un homme qui le tenait en laisse. Aussitôt la porte refermée, l'homme se mit à parler en regardant tour à tour tous les consommateurs et en montrant son chien :

— Parlez d'un oiseau. Ça craint le froid comme une vieille fille. Deux tours de place, et le voilà qui me tire jusqu'à ta porte, Jérôme.

Tout le monde riait. Le patron lança un sucre au chien en disant :

— Si tous les clients avaient des clébards comme le tien, ce serait chouette, ils n'iraient jamais ailleurs.

Le client s'était mis à parler de son chien et de tous ceux qu'il avait eus avant celui-là. Chaque personne avait son histoire de chien à raconter. Quantin les écouta un moment, puis il pensa à Bellone, morte depuis un an, et à son petit qui devait se faire écraser à peine un mois plus tard. Sans chien, les femmes étaient vraiment seules dans cette maison perdue. Seulement, avec un temps pareil, qui pouvait avoir l'idée de faire un mauvais coup là-haut ? Et puis, personne ne savait que Quantin était absent.

Le café était chaud et très bon. Quantin le but à petites gorgées. Ensuite, il tira sa montre et prit la clef pour en remonter le mouvement. Il était 6 heures et demie. Isabelle et la petite étaient occupées à traire. Quand elles auraient terminé, Isabelle ferait l'écurie. Seule à la cuisine pour préparer le déjeuner, Denise en profiterait pour allumer un moment sa crèche.

Et les deux femmes le croyaient chez Marie-Louise, couché sur le divan !

Il n'était pas encore 7 heures lorsque Quantin quitta le petit café. Il ne pouvait pas se rendre chez Marie-Louise aussi tôt, mais il ne tenait plus en place. Il avait moins froid. Il se sentait tout à fait réveillé. Il avait besoin de respirer, de faire quelque chose. Alors, dans les rues et sur les quais presque déserts, il se mit à marcher de son pas habituel, exactement comme il avait coutume de marcher sur les chemins de son pays. Et, à mesure que l'air glacé entrait en lui, il lui semblait que tout changeait. La nuit sortait de lui, le matin allait sans doute chasser ce qui restait d'un mauvais rêve.

Après tout, il n'avait perdu que quelques heures. Il allait retrouver Marie-Louise, voir ce qu'était cette vie qu'elle avait su se bâtir toute seule, loin des siens et sans aide. Ils allaient parler tous les deux, et ce soir, elle partirait avec lui. Il le fallait. Elle comprendrait qu'elle devait au moins leur donner sa soirée de réveillon.

UNE FILLE SÉRIEUSE

15

Tout au bout d'une rue étroite, une lueur à peine perceptible annonçait l'aurore. Bien qu'elle fût toute noyée de brume et ternie par l'éclat des lampes et des fenêtres éclairées, cette lueur attira Quantin.

Il se dirigea vers elle. A mesure qu'il avançait et laissait les lampes derrière lui, il lui semblait que l'air s'allégeait, que tout se lavait dans cette aube qu'il fallait presque deviner.

Quantin atteignit le bout de la rue et traversa une large autoroute à côté d'un chantier qui barrait l'entrée d'un pont. Il y avait des arbres, et il comprit que c'était un quai donnant sur le Rhône.

La brume toujours épaisse se colorait lentement, s'animait parfois, comme remuée par un vent dont le souffle n'était pas perceptible. Derrière cette brume, les maisons se devinaient, masse effrangée, sans couleur précise, faite d'un indéfinissable mélange de jour et de nuit. Plus loin encore, le soleil très bas imprégnait tout d'un jaune laiteux qui luttait mal contre la grisaille.

Derrière Quantin, les voitures passaient, leurs phares encore allumés, fendant la brume où se dessinaient des remous ; la chaussée luisait, striée d'innombrables traces. Les voitures roulaient vite et Quantin se demanda comment elles pouvaient circuler sans se heurter.

La veille au soir, il avait trouvé la ville très laide, mais, ce matin, il la regardait presque avec plaisir.

Le plus attirant, c'était encore le fleuve, et il se disait que le fleuve ne faisait pas partie de la ville. Il était comme lui, un passant. Il traversait Lyon entre deux rives pareilles à des murs de prison, et il s'enfuyait. Un mot du livre qui l'avait tant impressionné lui revint en mémoire : « ... et les fleuves coulant vers d'invisibles horizons de lumière. » C'était tout ce qu'il pouvait retrouver au fond de sa mémoire. La fin d'une phrase qui lui revenait à la vue de ce fleuve et qui lui donnait une espèce de frisson.

Il fut un moment sans réfléchir, seulement à se répéter ces mots qui lui faisaient du bien. Ces mots qu'il avait toujours trouvés très beaux et comme chargés d'un certain mystère. Ce livre était un de ceux qui l'avaient le plus rapproché de l'instituteur, car c'était à propos de lui qu'ils avaient, la première fois, parlé ensemble de la mort. L'instituteur aussi pensait souvent à la mort, et, comme Quantin, il le faisait sans crainte, sans grande tristesse, peut-être tout simplement parce qu'elle paraissait très lointaine.

Peu à peu, le fleuve se dégageait de sa brume. L'eau n'avait pas de couleur, elle était encore le prolongement de cette brume, cependant, par endroits, perçaient des semis d'étincelles. C'était tout, mais assez pour permettre de sentir vraiment la présence du fleuve.

Quantin le suivit jusqu'à un pont tout neuf qui lançait son tablier de métal comme un seul trait de flèche parti de la rive et perçant de son gris terne cette vapeur de lumière. Le pont enjambait aussi l'autoroute qui plongeait pour passer sous une arche carrée comme une entrée de cave. Les voitures s'engouffraient là dans un vacarme qui sentait un peu la mort, celle que Quantin trouvait la plus absurde et qui hante les routes du dimanche. Au-dessus, les passages étaient si compliqués que Quantin dut attendre d'autres piétons pour traverser en même temps qu'eux.

A mesure qu'il s'éloignait du fleuve. Quantin sentait renaître son angoisse. Ici, tout redevenait triste, sans véritable lumière, comme définitivement lié à la nuit. Il se souvenait mal de la ville telle qu'il l'avait connue autrefois, mais il lui semblait que ce rythme était celui de la folie. Etait-il trop vieux pour saisir le sens de cette bousculade ? Mais un être humain pouvait-il rester maître de soi, de ses gestes, de ses pensées, de ses paroles s'il se laissait emporter par ce courant ? Et c'était ce qu'avait choisi Marie-Louise. C'était ce qu'elle avait préféré à la vie simple et calme du pays !

Marie-Louise avait décidé de se plier à cette existence alors que rien ne l'y obligeait. Et Isabelle parlait de bonheur ! Isabelle qui n'avait jamais vu une ville pareille, qui avait peur de toucher à un tracteur, pensait vraiment que c'était ici, et ici seulement que sa fille pouvait vivre heureuse.

L'instituteur parlait souvent de ce qu'il nommait « le monstre de la cité ». Il le connaissait, il l'avait fui. Quantin assistait au réveil de ce monstre qui ne s'endort jamais tout à fait. Et le monstre grognait déjà, il menaçait, il exhalait une haleine qui sentait le charbon, l'essence, la mauvaise cuisine.

A présent que le fleuve était loin, l'air se raréfiait, la puanteur se mêlait à la brume qui devenait fumée. Quantin continuait de marcher, conscient de se mouvoir à l'intérieur même d'une machine énorme dont rien ne pouvait arrêter le mouvement.

Aujourd'hui seulement, il comprenait l'effroi de l'instituteur chaque fois qu'il avait cherché des mots capables de peindre ce monstre de la cité.

Une envie de rire un peu amère lui vint à la gorge lorsqu'il imagina l'instituteur dans cette ville, tout embarrassé de son immense carcasse et de ses longs membres dont il ne savait jamais quoi faire. Etait-il possible que deux êtres puissent s'entendre, l'un appartenant à ce monde et l'autre à celui d'où venait Quantin ? Mais Marie-Louise pouvait-elle vraiment appartenir à ce monde ? Est-ce qu'une pareille métamorphose pouvait s'opérer aussi rapidement ?

Quantin revoyait la Marie-Louise des dernières vacances. Certes, elle avait changé. Mais elle ne pouvait pas coiffer des femmes élégantes sans être comme elles. Il fallait le comprendre. Et Quantin l'avait compris. Contrairement à ce que prétendait toujours Isabelle, il n'était pas rétrograde. Ce qu'il croyait redécouvrir ce matin, c'est que Marie-Louise, en venant les voir, ne leur avait rien apporté de ce qu'il sentait ici. Elle était restée solide sur terre, avec son même raisonnement sain qui avait si souvent fait dire à ses maîtres qu'elle était une gosse parfaitement équilibrée. Non, décidément, Quantin n'eût pu, d'après ce qu'elle leur avait raconté, se faire une idée de cette ville.

A vrai dire, Quantin n'avait jamais beaucoup cherché à se faire une idée de la ville. Il avait seulement lu et bavardé avec l'instituteur. Pour le reste, il avait la plaine infinie devant les yeux, et il savait que la ville était très loin, tout au fond, en ce point d'où l'on voyait seulement s'élever sa respiration grise.

Quantin revint délibérément vers le cœur de la cité, en cet endroit où la vie s'affole. Et il marchait déjà depuis trois quarts d'heure lorsqu'il pensa au chemin qu'il aurait pu parcourir, dans le même temps, le long des terres. Il lui fallait moins de temps que cela pour monter jusqu'aux coupes qu'il avait tout en haut des monts de Saint-Julien. Dans ces rues, il avait l'impression de ne pas avancer. Il avait toujours autour de lui les mêmes murs gris, les mêmes vitrines, les mêmes visages, les mêmes silhouettes pressées. Le chemin des coupes, par exemple, c'était autre chose. Même lorsqu'il le faisait chaque jour durant des semaines, il ne s'en lassait pas. Même lorsqu'il cessait de regarder autour de lui, il savait que la terre était là. La terre, les arbres, le ciel. Et tout cela qui n'a l'air de rien, c'est tout de même une vie. Et c'était aujourd'hui qu'il en évaluait justement l'épaisseur, la solidité ; c'était à présent qu'il sentait à quel point elle tenait à la sienne. Avec tout cela autour de soi, on ne se sent jamais seul, même quand on reste des jours sans rencontrer âme qui vive.

Ame qui vive, c'était une expression qui lui venait de sa mère. Il l'employait comme ça, par habitude, dans les circonstances mêmes où sa mère l'eût employée. Mais il savait qu'elle n'exprimait pas exactement ce qu'il éprouvait. Jamais il ne sentait aussi fortement le poids de la vie que lorsqu'il se trouvait seul avec sa terre. Et puis, une âme, même s'il ne savait pas ce que c'était, pouvait-il s'en trouver une dans cette machine infernale de la ville ?

Non, si quelque chose devait avoir une âme, c'était bien sa terre. C'était sans doute ce qui lui échappait toujours un peu lorsqu'il voulait tout voir, tout sentir, tout pénétrer de sa terre. C'était probablement ce qu'il devinait dans le silence d'une vigne, le matin, au moment où le soleil s'apprête à pointer.

Ces choses sans nom étaient tout ce qui le séparait de l'instituteur. Lorsque Quantin évoquait cette présence invisible et intangible qui l'inquiétait toujours un peu, l'instituteur se mettait à rire. Et, lorsqu'il ne riait pas, c'était pour citer des philosophes que Quantin ne connaissait pas. Et Quantin était alors impuissant à faire comprendre ce qui était pourtant si vivant en lui.

16

L'heure approchait où Quantin avait décidé de monter chez sa fille. Il avait fini par se persuader que la concierge avait menti. Cette femme n'avait pas une bonne tête. Elle avait certainement prétendu que Marie-Louise se levait à midi uniquement pour la joie de médire. Mais il se moquait de la concierge. Il ne le dirait même pas à Marie-Louise. Il était inutile de lui faire de la peine et puis ils auraient bien d'autres sujets de conversation.

A présent, il regardait la ville sans aucun malaise. Il passait. Il était là en spectateur tout à fait occasionnel, et ce monde ne le concernait pas. Il allait le quitter dans quelques heures, en emmenant Marie-

Louise avec lui. Il rejoindrait sa terre, sa maison, sa tranquillité, et il lui suffirait de se souvenir de cette ville pour les apprécier encore davantage. Il savait que lorsque quelque chose n'irait pas dans le temps ou dans les récoltes, il n'aurait qu'à se dire : « Quantin, souviens-toi de Lyon », pour se sentir le plus heureux des hommes.

Comme il avait faim, il entra dans un boulangerie et acheta deux petits pains. Ils étaient légers et encore tièdes. Ils étaient bons, mais ce n'était pas du vrai pain, celui que l'on peut manger chaque jour lorsqu'on travaille de force.

Quantin avait tellement marché qu'il ne savait plus très bien où il se trouvait. Il demanda son chemin à un agent de police. La rue de L'Arbre-Sec n'était pas très loin ; sans le vouloir, il avait cheminé dans la bonne direction.

— Quantin, murmura-t-il en riant, tu ferais un fameux citadin. Tu devrais bazarder ta maison et tes terres, et venir habiter rue de l'Arbre-Sec. Ta femme et tes filles seraient heureuses.

Il atteignait la rue lorsqu'il reconnut la concierge qui sortait d'une épicerie. Elle ne prêta aucune attention à lui, et il fut heureux de la voir entrer dans un autre magasin. Au moins il était assuré de ne pas la rencontrer dans l'escalier.

De jour, la montée paraissait différente, sans doute à cause de la lumière qui tombait du toit de verre. Il gravit lentement les étages. Il ne voulait pas être obligé de s'arrêter, ni se trouver trop essoufflé en arrivant. Et puis, à présent, il avait le temps. Il ne pouvait plus manquer Marie-Louise, si elle descendait, il la rencontrerait.

Il n'était pas tout à fait 9 heures lorsqu'il atteignit

le palier. Son cœur battait très fort, mais ce n'était peut-être pas uniquement l'effet de la montée.

Il avait seulement croisé une dame âgée qui descendait en compagnie d'un petit garçon. Lorsqu'il l'avait saluée, elle s'était excusée à cause de la place que tenait le petit garçon. Elle devait être sortie, car tout était silencieux.

Il attendit encore un peu. Il aurait pu attendre là très longtemps, sans impatience, parce qu'il était certain de trouver Marie-Louise. Il y avait en lui une grande émotion, mais il la contenait parfaitement, et son cœur reprenait déjà un rythme normal. Il se décida pourtant, et retrouva comme un lieu familier ce couloir aux carreaux branlants.

Avant de frapper, il écouta un instant, mais il ne perçut aucun bruit que celui très assourdi de la ville. De nouveau son cœur battait très fort.

Il aspira longuement, un peu comme avant un plongeon, puis, retenant son souffle, il frappa.

Silence.

La ville même se tait.

Rien ne bouge derrière aucune porte. Ce calme de tout l'immeuble a quelque chose d'angoissant. Est-ce qu'il faut frapper encore et plus fort ? A présent qu'il est là, Quantin ne peut tout de même pas redescendre. Il croit avoir frappé fort, mais, en réalité, il n'a presque pas fait de bruit et si Marie-Louise dort encore... Et si elle dort, a-t-il le droit de la réveiller ? De la priver d'une partie de son repos, elle qui travaille si tard le soir ? Elle a dû garder sa bonne habitude de dormir la fenêtre grande ouverte en se cachant le nez sous les couvertures.

Quantin n'a pas osé frapper davantage. Il est revenu sur le palier où il attend, prêt à descendre si quelqu'un monte ou sort d'une chambre. Il attendra une demi-heure. C'est ce qu'il a décidé. Une demi-heure qu'il accorde à la petite.

Un quart d'heure peut-être s'est écoulé. Quantin a entendu quelques allées et venues dans l'escalier, des bruits de portes, des voix, et chaque fois il a sursauté, comme pris en faute.

A présent, quelqu'un vient. C'est un pas de femme. Une femme qui monte lentement, qui s'arrête, repart. Ce n'est pas Marie-Louise. Elle ne peut pas être déjà sortie.. Et puis, il y a trop de lassitude, trop de paresse dans ce pas. Penché par-dessus la rampe, Quantin peut apercevoir un manteau de fourrure, une main pâle sur le bois et même, à un certain passage, des cheveux très blonds.

Non, ce n'est pas Marie-Louise. Ce ne peut pas être elle. Quantin attend encore pour être certain que cette femme vient jusqu'ici. Elle s'arrête au quatrième, mais sa main demeure sur la rampe. Elle repart. Alors, Quantin s'affole. Il pense à descendre puis, se retournant soudain, il court jusqu'à la porte de Marie-Louise.

Il frappe. Rien. Le pas dans l'escalier approche encore. Alors il frappe plus fort. Il frappe toujours au moment où le manteau de fourrure et les cheveux apparaissent sur le palier.

La femme s'arrête et le regarde. Il reste immobile, la main en l'air, un peu comme un écolier qui veut demander la permission de parler.

Silence. La femme paraît hésiter. Elle a pris contre sa poitrine le sac qu'elle balançait au bout de son bras. Elle fait deux pas en direction de Quantin. Le bruit de ses talons sur le carreau est réellement énorme dans ce silence.

— C'est Marie-Louise, que vous cherchez ?

Sa voix est grave, un peu enrouée.

— Oui, madame.

La femme a un sourire fatigué pour demander :

— C'est bien elle, c'est certain ?

Quantin ne sait plus quoi dire. Devançant cette femme qui fait de nouveau deux pas, un parfum très fort arrive jusqu'à lui. Il ne sait que répondre. D'un geste machinal, il change de main le paquet qu'il porte sous son bras. La femme avance encore. Elle a un long visage trop maquillé et très fatigué. Elle examine Quantin de la tête aux pieds en passant par le paquet, puis, changeant de ton, elle reprend :

— Eh bien, Marie-Louise, je crois pas qu'elle rentre aujourd'hui.

Quantin est abasourdi. D'une voix à peine perceptible, il demande :

— Elle est déjà sortie ?

La femme rit. Son rire ne sonne pas, il grince.

— Oui, fait-elle, elle est sortie, mais pas aujourd'hui.

— Vous voulez dire qu'elle n'est pas rentrée ?

— Si vous préférez.

Quantin doit se mordre les lèvres. Cette fois-ci il ne comprend plus. Il a envie de cogner encore à cette porte en appelant sa fille, mais cette femme continue à le fixer et il demande :

— Est-ce que vous savez où je pourrais la trouver ?

— Vous voulez que je lui fasse une commission ?

Il reste sans réponse. Que peut-il dire ? Est-ce que cette femme aussi va essayer...

Elle parle pourtant.

— Quand je vous ai vu comme ça, dit-elle, contre cette porte, j'ai eu un peu les foies. C'est pas que je sois plus pétocharde qu'une autre, mais la semaine dernière, j'ai une copine qui s'est fait cravater son sac comme ça, le matin, en rentrant chez elle. Et dans un immeuble peinard comme celui-là. Faut pas se figurer, mais y a des mecs qui repèrent tout.

Quantin se tait. Il est comme scellé au plancher, devant cette porte, à écouter cette femme.

— Vous comprenez, explique-t-elle, c'est pas la peine de s'esquinter le tempérament toute une nuit pour se faire poirer son pognon en rentrant se pieuter.

Quantin a compris qui est cette femme, mais il ne trouve ni la force de parler ni celle de partir.

— Alors, finit-elle par demander, vous voulez me laisser quelque chose pour elle ?

— Non, bredouille-t-il. Faudrait que je puisse la trouver.

— Eh bien, ce sera pas facile. Elle est sur le point de se tirer. Elle va à Paris. Et d'ici là, je sais pas où on peut la dénicher. Elle a sûrement pas de temps à perdre. Parce que Marie-Louise, c'est une bûcheuse ! C'est pas une fille qui s'amuse, celle-là !.. Notez bien, elle a raison. Moi, je lui en veux pas, hein ! Elle se tire, tant mieux pour elle. Si c'est son idée, elle est libre. Mais c'est une bonne copine, et je la regretterai...

La femme se tait. Quantin sent ses jambes qui tremblent. Sa tête est lourde. La sueur perle sur son front et il n'ose faire un geste pour l'essuyer. Il n'y pense même pas. Il sent seulement qu'il a très chaud. La femme se tait et s'approche d'une porte, il répète encore, très vite, comme il lancerait un appel de détresse :

— Faut que je la voie. Faut absolument que je puisse la trouver aujourd'hui.

— Essayez toujours de passer chez Fernand, c'est

là qu'elle mange, quand elle est toute seule... Essayez, je vous garantis rien, mais vers midi, des fois, vous avez une chance.

— Chez Fernand ?

— Vous connaissez pas ?

Quantin fait non de la tête. Il a réellement un paquet de coton dans la gorge. La femme lui donne une adresse.

— Merci, réussit-il à dire.

Il s'éloigne. Il arrive sur le palier lorsqu'il entend une clef tourner dans une serrure, une porte qui s'ouvre et se referme. Quand il regarde derrière lui le couloir est de nouveau vide.

17

La descente fut interminable. Quantin ne sentait plus ses jambes. Sa main droite se crispait sur la rampe. La sueur ruisselait sur tout son visage. Il la sentait aussi couler le long de son dos et pourtant il avait froid. Froid à claquer des dents ; froid à en avoir la nausée.

Arrivé en bas, il s'éloigna de cette entrée, gagna une rue peu fréquentée en se répétant sans cesse l'adresse du restaurant où il avait une chance de trouver sa fille. Il s'arrêta sur un trottoir et s'adossa quelques minutes à l'angle d'un porche.

Bon Dieu ! est-ce qu'il allait s'écrouler comme une mauviette ?

Il se raidit et regarda autour de lui. Il y avait un café, de l'autre côté, et il traversa. Le klaxon d'une voiture le fit sursauter. Il sentit le vent tout contre sa main et une voix hurla :

— Fais gaffe, paysan !

Déjà la voiture s'éloignait.

Paysan ! Paysan ! Et alors ?

Il entra dans ce café, s'assit à la première table et demanda un verre de marc qu'il avala d'un trait. Il paya et ressortit aussitôt. Un Quantin inconnu venait de se réveiller en lui qui l'obligeait à remuer, à se secouer.

Marie-Louise... Marie-Louise putain ! Bon Dieu, c'était pas possible ! Il y avait certainement quelque chose qui n'allait pas... Et pourtant ? Est-ce qu'il pouvait y avoir deux Marie-Louise Quantin ? Et à la même adresse ?

Alors il fallait admettre ? Accepter d'être le père d'une roulure, d'une traînée comme celle d'hier au soir, comme celle de ce matin ? Merde alors, on allait voir ! Quantin paysan ! Quantin pauvre type ! Quantin la bonne pâte qui acceptait tout de ses gosses ! Il entendait sa femme :

— Ta Marie-Louise, elle te ferait dans la bouche que tu dirais merci !

Ses poings se serraient. Qu'il la trouve seulement ! Qu'il puisse lui mettre la main dessus ! Elle avait peut-être un type pour la défendre, mais Quantin n'était pas encore un vieillard. Et puis, il y avait bien une police, tout de même ! La police ? Mais c'était peut-être la première chose à faire. Ces filles-là sont connues. Là au moins, on le renseignerait. Il saurait la vérité. On lui rendrait sa fille ou bien on la mettrait dans une maison de correction.

Où avait-il vu un poste de police ? C'était hier soir. Il se souvenait d'une enseigne lumineuse bleue à lettres blanches « Police », et d'un gardien portant une mitraillette. Mais où était-ce ? Et d'abord, où se trouvait-il en ce moment ?

Il regarda une plaque : « Rue de la Bourse ». Ça ne lui disait rien, mais il devait chercher un agent. Il marcha encore et finit par en trouver un près du carrefour. Il demanda le commissariat.

— Ça dépend lequel, dit l'agent.

Quantin ne savait quoi répondre et l'homme à képi blanc demanda encore :

— Ça dépend ce que vous voulez. Si c'est pour un objet perdu, faut aller à Saint-Jean.

— Non, fit Quantin, c'est une affaire personnelle. C'est urgent.

— Vous n'êtes pas d'ici ?

— Non.

— Alors, allez à la permanence. Place Antonin-Poncet. Vous verrez, c'est à côté de la grande Poste, en vous dirigeant vers le Rhône.

L'agent eut un mouvement du corps pour dégager son bras de sa pèlerine, et montra la direction en donnant quelques explications. Quantin l'écouta, remercia et partit.

Dans les rues, il y avait moins de monde que la veille, et il pouvait marcher vite. Il allait, allongeant le pas, jetant souvent son paquet d'un bras sous l'autre, changeant parfois son chapeau de place sur son crâne mouillé. Tout en cheminant, il entretenait en lui cette colère qui lui donnerait la force de dire à un policier : « Je cherche ma fille qui est une putain. » Voilà ce qu'il faudrait dire. Et il savait que ce ne serait pas facile. Il l'avait compris au moment où l'agent lui avait demandé ce qu'il voulait.

Ce qu'il voulait ? Il voulait sa fille. Marie-Louise. Une gamine qu'il avait laissé partir seule et qui s'était perdue ! Qu'on avait perdue ! Que la ville avait perdue ! Ce qui s'était passé ? Allez savoir ! Une saloperie peut-être de ce Roberti ; ou de la femme à cheveux bleus. Est-ce que ça n'était pas eux les coupables ? Eux qu'il fallait faire arrêter ? Jeter en prison ? Eux et cette fille qui habitait le même palier que Marie-Louise ? N'avait-elle pas entraîné la petite ?

— Une bonne copine... Je la regretterai.

Est-ce qu'elle ne l'avait pas un peu volée, des fois ? N'y avait-il pas un voyou quelconque dans cette affaire ? Quantin avait envie de violence. En quelques minutes, il était devenu un autre homme. Il regardait les gens qu'il croisait avec une espèce de haine. Un espoir secret de lire sur leurs visages le signe qui les désignerait comme coupables. Tous les jeunes garçons avaient des gueules de voyous, des allures de souteneurs. Mais pourquoi les flics n'arrêtaient pas toute cette racaille ? Pourquoi laisser cette pègre en liberté, avec le droit de perdre des filles honnêtes ? Mais les flics s'en moquaient. Ils étaient là, plantés à deux ou trois aux angles des rues, tout juste bons à vous empêcher de traverser. Pendant ce temps, on pouvait enlever des filles de leur travail et les jeter au ruisseau. Elles pouvaient faire le trottoir librement. On racontait des histoires de policiers qui étaient également souteneurs ; Quantin n'avait aucun mal à le croire.

Alors, s'il en était ainsi, pouvait-on espérer l'aide d'un commissaire ?

A mesure qu'il approchait de la place Poncet, Quantin découvrait mille raisons de ne pas mêler la police à cette affaire.

S'il s'était trompé ? Si on l'avait trompé ? Si Marie-Louise pouvait encore se reprendre ? Si on faisait un scandale ? Est-ce que la prison n'était pas le pire lieu de perdition ?

Il s'arrêta soudain. Il regarda les rues autour de lui, le monde inconnu des passants. Il les regarda longtemps, puis il baissa la tête. Sa pelisse était ouverte. Il voyait son gilet barré par la grosse chaîne en argent de sa montre, son pantalon tout froissé, ses énormes souliers noirs tout auréolés de blanc et de gris. Ses souliers qui avaient séché à ses pieds cette nuit et que le sel des rues avait racornis.

Et si le commissaire lui demandait ce qu'il avait fait, lui, Quantin, pour protéger sa fille ? Pour la mettre en garde contre la ville ? Contre le monstre de la ville ?

Ce nom de monstre ramena l'image de l'instituteur. A présent, c'était fini. Même si elle suivait son père au pays, elle n'épouserait jamais l'instituteur. On ne donne pas une putain à un garçon honnête. Si elle rentrait, elle ferait...

Quantin ne savait pas ce qu'elle ferait. Il ne savait rien. Plus rien. Son regard avait quitté les autres pour tomber sur lui, et sa colère avait fondu d'un coup. C'était de nouveau le vide, ce tremblement des jambes, cette sensation de déséquilibre qu'il avait déjà éprouvée dans l'immeuble de Marie-Louise. C'était cela et le froid revenu. Ce froid qui était en lui bien plus qu'autour de lui.

Quantin fit lentement demi-tour et reprit sa marche.

La ville était loin, perdue derrière un écran incolore qui éloignait tout, aussi bien les couleurs que ce bruit infernal qui est la respiration même d'un monde impossible.

18

Quantin marcha longtemps, pour marcher. Il retrouva le fleuve qu'il longea un moment, mais il ne pouvait plus rien regarder. Rien ne s'arrêtait en lui, rien ne pouvait y trouver place.

Il y avait une phrase qui revenait sans cesse :

— Marie-Louise, c'est une bûcheuse... C'est pas une fille qui s'amuse.

La voix qui répétait ces mots n'appartenait à personne. Etait-ce la prostituée du cinquième étage, qui disait cela ? Etait-ce la propre maman de Marie-Louise ?

Car Isabelle l'avait dit souvent, que sa fille était une travailleuse. Une entêtée acharnée à se faire une situation.

Marie-Louise, c'était son idée, d'arriver. Et selon sa mère, cela suffisait à tout expliquer, à tout justifier. Elle pouvait repousser l'instituteur. Viser ailleurs, plus haut, beaucoup plus haut. Elle était tellement pleine de courage et d'ambition, cette petite ! On ne trime pas de la sorte durant des années pour revenir ensuite s'enterrer dans un trou. On ne se fait pas une situation pour finir dans la cuisine d'un instituteur. Quand on a appris un métier d'artiste, on ne vient pas repriser les chaussettes du maître d'école d'un village de bouseux. Il suffisait de regarder les cadeaux qu'elle expédiait à sa sœur pour se faire une idée de ce qu'était sa situation. Et toute seule ! Elle avait réussi toute seule, cette petite paysanne ! Son père n'était même pas allé la présenter à un patron.

Quantin répétait cela. Il remâchait ces mots comme on fait d'un morceau d'écorce dont il sort un jus amer. Il se contraignait à les remâcher encore, comme un poison, comme une sève de mort.

C'était lui, qui avait fait cela. Lui qui avait accepté cela. Lui qui n'était pas venu voir sa fille.

La gifler, à présent ? L'insulter ? La ramener de force et l'enfermer ? Est-ce qu'elle n'allait pas lui rire au nez ? Lui crier qu'il n'avait que ce qu'il méritait ? Que jamais il ne s'était soucié de savoir si elle avait de quoi se nourrir depuis qu'elle les avait quittés ?

Tout lui revenait pêle-mêle. Les mots de la prostituée, ceux de sa femme, ceux de la concierge, ceux de la matrone bleue, ceux de la fille du Salon Roberti.

Tout lui revenait en désordre, mais tout concordait à imposer en lui la certitude que sa fille était perdue.

Il cherchait vainement d'autres paroles à quoi se raccrocher, des mots contenant une parcelle de doute, d'espoir, mais il n'y avait rien.

— Chez Fernand... Vers midi... Des fois, vous avez une chance.

Une chance, avait dit la prostituée blonde. Une chance !... Ce mot lui faisait un curieux effet.

— Je la regretterai, Marie-Louise... Une bonne copine.

Et si cette putain n'avait été qu'une voisine de palier, une cliente peut-être? Une amie que Marie-Louise coiffait gratuitement ? C'était une raison de la regretter. Marie-Louise allait partir. Donc elle n'avait pas ouvert un salon à son compte. Mais si elle avait été prostituée, pourquoi eût-elle voulu quitter Lyon ? Et pour Paris, encore !

Pauvre fou ! Mais une prostituée n'aurait pas pu parler ainsi d'une simple voisine. Et le regard du blanc-bec de Roberti, ne suffisait-il pas ? Est-ce que tout n'était pas déjà exprimé dans sa façon de dévisager Quantin ? Mais c'était peut-être celui-là, qui était responsable de tout. Ce morveux !

Bon Dieu ! ce que ça doit soulager, d'écraser une pareille gueule !

Quantin s'arrête. Il pense qu'il va devenir fou. Sa tête va peut-être éclater d'un coup, et puis ce sera fini.

Il est fou.

Il a quitté sa terre pour venir se perdre là et, en une nuit, cette ville a tué l'homme qu'il était depuis sa naissance pour faire de lui un déséquilibré prêt à tuer un individu qui l'a regardé d'un drôle d'air. Voilà ce qu'il est devenu. Et tout ça, parce qu'il pense que sa fille n'est peut-être pas restée dans le droit chemin. Il pense, mais il n'est sûr de rien. Et pour un peu, il alertait la police.

Ne va-t-il pas découvrir en lui la force de se reprendre ?

Il regarde où il se trouve. Avec la colline et cette vilaine église tout en haut, il est assez facile de se repérer dans cette ville. Il constate qu'il a repris la direction de Perrache alors que le restaurant qu'il cherche se trouve près du théâtre. Le théâtre, il l'a vu hier au soir, et encore tout à l'heure. Une fois de plus, il fait demi-tour. Il marche vite. Il sait qu'il n'a aucune chance de trouver sa fille dans un restaurant à pareille heure, mais si le patron la connaît, il pourra peut-être lui dire où elle travaille. A présent, il se souvient qu'elle leur a parlé d'une pension où elle déjeune souvent. Ce doit être ça. Quantin est stupide de ne pas y avoir pensé plus tôt.

A mesure qu'il marche, un peu de sérénité lui revient. Il se sent moins fébrile et, lorsqu'il arrive devant « Chez Fernand », il est presque calme.

La devanture est étroite, en bois d'un rouge sombre, avec des rideaux jusqu'à mi-hauteur des vitres. Même en se haussant sur la pointe des pieds, Quantin ne peut rien voir de l'intérieur. Sa douleur de poitrine vient de faire un tour sur elle-même, comme une bête qui va se réveiller. Est-ce que son calme va déjà le quitter ?

Sans réfléchir davantage, il pose sur le bec-de-cane sa main dont le seul poids suffit à ouvrir la porte. Il entre et referme. La salle est vide. Toute petite et encombrée de tables où les couverts sont mis sur des nappes en papier. A gauche de la porte, se trouve un petit bar.

Silence.

Une odeur de viande semble sortir d'une porte ouvrant au bout du bar.

Quantin regarde vers la rue. Il a envie de s'enfuir. Mais il ne bouge pas. Un bruit vient du fond. Une porte bat. Un pas qui traîne un peu. Un homme paraît. Il est assez fort, rouge de visage. Il peut avoir une cinquantaine d'années. Il porte un tablier bleu comme ceux des jardiniers. Une fois derrière son comptoir, il regarde Quantin en disant :

— Pas chaud, hein ?

— Non.

— Ce matin, on aurait pu croire que le soleil allait venir, mais ça se brouille déjà.

L'homme se tait. Il s'est appuyé des deux mains au rebord du comptoir, et il attend. Quantin comprend qu'il doit boire quelque chose.

— Donnez-moi un verre de vin, dit-il.

— Blanc ?

— Oui, blanc.

L'homme tire un litre de vin blanc d'un petit bac en zinc et emplit un verre à pied assez grand.

— Ce serait encore de la neige pour demain, que ça ne m'étonnerait pas, dit-il en reposant le litre.

Quantin approuve. Il lève son verre. Sa main tremble et du vin froid coule sur ses doigts. Il boit deux gorgées. Le vin est un peu âpre ; certainement pas naturel. Quantin se dit qu'une tasse de café lui eût fait davantage de bien. Il a demandé du vin parce que c'est le premier mot qui lui est venu à la tête.

L'homme est de nouveau appuyé à son comptoir. Son regard gris va de Quantin à la rue. Comme il est plus haut, il doit voir ce qui se passe dehors.

Quantin a conscience de tout cela, et pourtant il s'en moque. Il boit encore une gorgée, repose son verre et demande brusquement :

— Est-ce que Mlle Quantin viendra manger ici, à midi ?

L'homme fronce son front bas en répétant :

— Mlle Quantin, dites-vous ?

— Oui, Marie-Louise Quantin.

Le visage de l'homme s'éclaire soudain. Il lève une main en s'exclamant :

— Ah, la petite Marie-Louise !

Quantin fait oui de la tête. L'homme change encore de visage, cligne de l'œil, sourit de façon curieuse puis, s'inclinant un peu vers Quantin, d'un air entendu il explique :

— A vrai dire, ça m'étonnerait. J'ai idée qu'elle est pas mal occupée en ce moment. Et je crois même qu'il faut plus guère compter sur elle.

Quantin essaie de parler, mais les mots ne lui viennent pas. Il se rend compte qu'il doit avoir l'air emprunté. L'homme cligne encore de l'œil et reprend :

— Faut pas vous défendre, papa. Y a pas de mal à ça, comme dit la chanson. Moi, à vrai dire, je vous explique le coup pour vous éviter de perdre du temps. Mais vous voyez, cette petite-là, eh bien, à vrai dire, j'ai toujours eu dans l'idée qu'elle était pas taillée pour cette vie-là. Ça se voyait gros comme Fourvière, qu'elle avait une idée derrière la tête. Elle cherchait l'occasion. Elle attendait son heure, comme dit l'autre. Avec ma femme, on l'avait toujours dit : cette petite-là, elle est pas comme les autres.

Quantin regarde l'homme, puis son verre de vin, puis de nouveau l'homme qui s'est mis à parler lui aussi du courage de Marie-Louise, de son travail, de toutes les qualités qui lui ont permis de se débrouiller mieux que les autres.

— Il y en a plus d'une, vous savez, qui voudrait s'en sortir. Seulement, elles manquent toutes de ça. C'est vrai, c'est ça qui leur manque.

L'homme se frappe le front du doigt avec des hochements admiratifs.

Alors, comme ça, c'est bien vrai : Marie-Louise a réussi mieux que les autres. Mais réussi quoi, grand Dieu ? Peut-il subsister le moindre doute, à présent ?

L'homme parle toujours.

— Nous autres, vous savez, on en voit défiler. Mais croyez-moi, des comme elle, on n'en rencontre pas des masses. Et puis, il y a la question d'âge. La plupart, quand elles y pensent, c'est déjà trop tard.

Quantin est figé sur place. Chaque mot de l'homme tombe en lui comme une pierre au fond d'un puits. Et il va rester là. Seul son esprit fonctionne encore. Sa carcasse est morte, paralysée, rongée déjà par il ne sait quelle gangrène.

Le cafetier parle de l'amitié née entre sa femme et Marie-Louise. Quelque chose de maternel. Et justement, sa femme vient d'entrer. Elle est courte et ronde avec une grosse figure luisante où ses petits yeux sont à peine visibles.

— J'étais justement après parler de Marie-Louise, dit l'homme.

La femme hoche la tête et son menton épais fait d'énormes plis.

— Sûr que j'ai bien du regret de la voir s'en aller, cette petite-là. Seulement, faut pas être égoïste. Faut se réjouir pour elle... Elle a déniché un gros bonnet. Un type à la grosse galette qui va la mettre dans ses meubles. Au fond, elles en rêvent toutes plus ou moins, même celles qui ne veulent pas en convenir.

Le patron intervient :

— Seulement, à vrai dire, elles ont toutes tendance à faire la vie. Alors ça ne peut pas aller. Mais la petite, je suis tranquille, c'est pas son genre.

Et voilà qu'ils parlent tous les deux, un peu comme si Quantin n'était pas là. L'homme continue ses « à vrai dire », la femme pousse beaucoup de soupirs. Ils évoquent l'arrivée de Marie-Louise. Ce qu'elle leur a dit de sa cambrousse, de son premier patron qui se conduit comme un cochon avec toutes les nouvelles. Ah, la prostitution, si on savait où elle se cache, des fois ! Toutes ces employées qui paraissent si pincées et qui couchent avec leur patron, est-ce que ça n'est pas aussi dégoûtant que le trottoir ? Et personne ne dit rien. Et pourtant, en plus, il y a de l'hypocrisie ! Ils connaissent tout ça, eux. Et ils jugent sans avoir l'air de rien. Mais Marie-Louise, c'est un caractère. Une sacrée tête. Intelligente et sachant se défendre. Une fille qui n'a jamais voulu travailler pour un homme. Ça, c'est le plus rare et le plus difficile !

Quantin ne bouge pas. Il se voûte seulement insensiblement, comme on fait sous une averse qui vous transperce.

L'homme parle du gros commerce et de la politique. Il appelle ça la pire des prostitutions. Le grand monde. Les hauts fonctionnaires. Les pots-de-vin. La construction. Il suffirait de regarder dans les affaires de la mairie, ou de la préfecture ! Il sait tout, et tout est sale. Et toujours, il en revient à Marie-Louise qui est vraiment une fille très bien :

— Sûr que c'est une fille intelligente, renchérit la grosse femme. Elle saura mener sa barque. Les autres la critiquent, mais moi je crois qu'elle a raison.

Elle insiste beaucoup sur le regret qu'elle a de la voir partir.

Un homme vient d'entrer. Machinalement Quantin vide son verre et le vin lui glace l'estomac.

Déjà les patrons bavardent avec le nouveau venu. Quantin salue, remercie, et se dirige vers la porte. Il a déjà la main sur la poignée, lorsque le patron lui crie :

— Hé, papa, ça fait trente francs !

Quantin se retourne, tire son porte-monnaie de sa poche en bredouillant un mot d'excuse. Avant de sortir, il demande encore :

— A midi, elle viendra pas ? Vous êtes sûr ?

C'est la grosse femme qui répond :

— Sûrement pas. Elle nous a fait ses adieux hier.

Quantin ouvre la porte. Il est sur le seuil, lorsqu'il entend le patron ricaner en disant :

— Merde, alors ! Un vieux jeton comme ça. Y croit encore au père Noël... Moi alors, ça me dépasse !

19

Trempé de sueur et claquant des dents, Quantin arriva devant la gare de Perrache. Pourquoi était-il venu là ? Par quel chemin ?

Il portait toujours sous son bras le paquet destiné à Marie-Louise, mais le papier était sale et déchiré dans un angle. Quantin se souvint qu'il avait glissé sur une plaque d'égout et fait une chute. Un homme et une femme l'avaient aidé à se relever. Il se rappelait même que la femme avait dit :

— Mon pauvre monsieur, heureusement que vous avez un bon manteau, il a sûrement amorti le choc.

Quantin ne savait même pas s'il avait remercié ces gens. Il n'avait même pas remarqué leur visage.

Il alla jusqu'au guichet des renseignements demander l'horaire des trains. Il n'y avait rien avant 18 h 59. Il le savait. Ou plutôt, il l'avait su. Parce que sa tête s'était vidée. Elle s'était vidée de tout ce qui avait été son existence jusqu'à son arrivée ici, pour se remplir de la ville, des visages, des bruits, des voix surtout. Des voix qui répétaient sans discontinuer les mêmes mots. Et ces mots n'avaient plus aucun sens, ils étaient comme le grognement sourd du monstre accroupi devant cette gare et qui s'appelait la ville.

Quantin demeura un moment assis sur une banquette à bagages, devant un guichet fermé. Derrière la porte conduisant à la galerie des messageries, deux malheureux étaient couchés à même le carrelage, enroulés dans leur manteau boueux. Des employés de gare, des voyageurs et des porteurs passaient à les frôler. Mais personne ne semblait prêter attention à leur présence. Ils étaient là, en plein cœur de la foule et pourtant hors du monde.

Lorsque Quantin regarda l'horloge, il était un peu plus de midi. Il compta qu'il lui restait six heures avant le départ de son train, et il se leva, pris de peur.

Il était là, prêt à partir, et sans avoir rien tenté pour revoir sa fille. En quelque sorte, il s'était enfui. En sortant de ce restaurant, il se trouvait à quelques minutes de la rue de l'Arbre-Sec, et, au lieu de retourner chez Marie-Louise, il avait couru jusqu'ici. Une espèce de panique lui avait serré le ventre et il était venu se réfugier là, prêt à tout abandonner. Prêt à prendre le premier train qui le ramènerait vers sa maison, sa terre, sa vie tranquille. Non seulement il n'avait rien fait pour empêcher sa fille de tomber où elle était, mais aujourd'hui, il l'abandonnait.

Pendant ce temps, Isabelle et Denise attendaient Marie-Louise, persuadées qu'il allait la ramener ce soir. Elles devaient être à table, devant leur soupe fumante et lui, le père à qui l'on pouvait tout reprocher, il ne pensait qu'à les rejoindre. Et il oserait se montrer devant elles. Il oserait sans crainte qu'on lui crache au visage ; qu'on lui plonge le nez dans sa lâcheté. Il arriverait là-bas sans rien à leur dire. Ou bien, il dirait...

Et si tout ce qu'il avait découvert n'était que mensonge, calomnie, histoire montée de toutes pièces pour se moquer du paysan qu'il était ?

Il se leva et commença de marcher dans cette immense salle. Il essayait de mettre un peu d'ordre dans sa tête.

Vraiment, tout concordait. Tout était contre Marie-Louise. Le hasard seul ne pouvait pas avoir fait cela. Ni même la méchanceté des gens. Il fallait être fou pour vouloir conserver une lueur d'espoir. En y pensant, il avait envie de rire de lui. De rire de sa femme, de l'instituteur, de cette admiration qu'ils avaient tous pour Marie-Louise. Il croyait les entendre tous en chœur reprendre le refrain du patron de restaurant et de son énorme femme, ce refrain qui prolongeait celui d'Isabelle.

— Une situation pareille ! Une travailleuse, cette petite ! Sérieuse et tout. Pas comme les autres... Un caractère, pensez donc ! Avoir tant travaillé et venir repriser les chaussettes d'un maître d'école ! Revenir s'enterrer dans sa cambrousse, non mais, vous y pensez vraiment ?

C'était vrai, elle avait travaillé. Tout le monde s'accordait à le dire, même sa voisine ! Sa voisine de palier, une putain, une roulure, une peau, une traînée !

Mais Bon Dieu ! qu'est-ce qu'il avait donc fait, lui, Quantin, pour mériter ça ?

Tant de louanges pour une fille qui était tombée si

bas, c'était tout de même extraordinaire ! Mais elle serait partie à pied soigner les lépreux à l'autre bout du monde, on n'en aurait pas fait davantage de compliments !

Elle avait su se conduire : elle avait refusé de coucher avec Roberti. Pensez donc, c'était quelque chose !

Roberti ? C'était peut-être ce qui avait tout déclenché. Cet ignoble individu était responsable de tout. Etait-ce lui, le blanc-bec ? Non, Quantin savait qu'il avait au moins cinquante ans. Ordure !

N'était-il pas en droit d'aller lui demander des comptes, à celui-là ? Lui écraser la tête dans ses flacons de saloperies qui puent si fort ? Et quoi, s'entendre dire qu'il arrivait un peu tard, qu'un père qui tient à sa fille n'attend pas des années...

Sans s'en rendre compte, Quantin avait repris le chemin du salon. Et il entendait Isabelle :

— Quand il a été question d'y aller, tu as toujours su trouver une bonne excuse.

Et il allait rentrer pour expliquer à Isabelle que sa fille était une...

Il butait sur le mot. Chaque fois qu'il voulait le prononcer, en pensant à sa femme, à sa maison, à Denise, au pays, sa gorge se serrait. C'était un mot qui allait ici, mais pas là-bas.

Il marchait vite, secoué de temps à autre par ce vin glacé qu'il avait absorbé et dont l'acidité lui rongeait l'estomac.

Lorsqu'il arriva rue de l'Arbre-Sec, il était de nouveau en nage. Ses mains tremblaient. Il s'en rendait compte, mais il était impuissant à se dominer.

Il monta les cinq étages sans s'arrêter, la poitrine en feu, la gorge sifflante. A présent, il voyait tout de façon assez nette, et, mis à part le tremblement de ses mains, il se sentait une certaine force. Il n'hésitait plus dans aucun de ses gestes.

Il frappa très fort à la porte et cria aussitôt :

— Marie-Louise ! C'est moi... Ouvre !

Silence. Une éternité de silence. Quantin frappe plus fort et crie encore :

— Marie-Louise ! Ouvre ! C'est ton...

Il allait dire ton papa au moment où la voix du patron de restaurant lui est revenue :

« Allons, papa, faut vous faire une raison. »

Pour un peu, il crierait tant il a mal. Mal partout. Mal comme si on le lardait de coups.

Il frappe et appelle encore. A travers une autre porte, une voix d'homme lance :

— Elle est pas là ! Elle a jamais été sourdingue, cette môme-là, qu'est-ce qu'il croit ?

Un rire de femme. Un rire clair et trop haut.

Quantin redescend. L'escalier empeste la cuisine. Il croise plusieurs personnes. Il approche de la loge et la porte vitrée s'ouvre en vibrant comme ce rire de femme.

— Vous cherchez toujours Mlle Quantin ? demande la concierge.

Il fait oui de la tête.

— Vous l'avez manquée de peu. Faut dire qu'elle s'est pas éternisée. Elle a pris deux valises et c'est tout... Mais elle est partie. Le reste, elle reviendra le chercher, ou elle le fera prendre. Elle garde sa chambre jusqu'à fin janvier. C'est normal, c'était payé d'avance.

Quantin a compris. Tout est clair. Et pourtant, il demande :

— Alors, elle serait partie à Paris ?

— Sûrement, oui.

La femme hésite. Son visage n'exprime rien, mais

on dirait pourtant qu'elle essaie de réfléchir. Après quelques secondes, elle ajoute :

— Et si j'ai bien saisi, en voilà une qui a su tirer son épingle du jeu, comme ils disent à la télévision.

— Auriez-vous son adresse ?

Quantin parle sans hésiter. Sans réfléchir. Presque durement. La concierge regarde le paquet qu'il porte, puis elle dit :

— Je dois faire suivre son courrier.

— Alors, vous avez l'adresse ?

Le femme fait la moue, lèvres en avant. Quantin la regarde dans les yeux. Il sent qu'elle est un peu effrayée par son regard. Elle ébauche un geste vague et bougonne :

— Oh ! Puis, après tout ! Elle m'a pas défendu de la donner, cette adresse...

Elle rentre dans sa loge, pour revenir aussitôt avec une feuille de papier bleu, exactement comme celui que Marie-Louise prend pour ses lettres. La femme examine le papier, puis dit en riant :

— J'avais même pas lu. Si c'est pour envoyer votre paquet, ça peut faire, mais si c'est pour aller la voir, ça vous donnera pas grand-chose. Elle a marqué : Poste restante. Bureau 57, rue de Dijon.

Quantin répète seulement :

— Rue de Dijon...

Puis il se tait. La femme attend quelques instants, puis elle dit :

— Vous pourrez pas vous plaindre. Je vous ai renseigné, au moins.

Quantin ouvre sa pelisse, cherche son porte-monnaie et donne cent francs. La femme le remercie, fait mine de rentrer puis, se ravisant, elle dit encore :

— J'y pense d'un coup. Comme il n'y a pas très longtemps qu'elle est partie, vous pourriez jeter un coup d'œil au « Tam-Tam ». C'est une boîte. Ça se trouve juste à l'angle de la rue du Théâtre... Des fois qu'elle serait passée dire au revoir à des copines... Essayez toujours... C'était bien son secteur, ce quartier du « Tam-Tam ».

20

En sortant de l'immeuble, Quantin sentit que ses forces l'avaient abandonné. Jusque-là, il avait été soutenu tour à tour par la colère et l'espoir. A présent, il n'y avait plus rien. Il était un corps qui allait peut-être s'effondrer sur le trottoir. Sans doute à cause de la sueur qui imprégnait ses vêtements, il sentit le froid l'envelopper d'un coup comme un linge ruisselant. Il se mit à frissonner et l'envie lui vint de s'allonger par terre, contre un mur, n'importe où, à la façon des clochards qu'il avait vus dans l'entrée de la gare.

S'il se couchait ainsi, on le ramasserait, on l'emmènerait en prison ou à l'hôpital, et il pourrait dormir.

Comme ses jambes se remettaient à trembler, il entra dans un café. L'air y était chaud, épais, chargé de fumée et d'odeurs de graisse cuite. Tout au fond il y avait une banquette vide. Quantin la regarda Elle l'attirait. Elle se trouvait dans la pénombre presque séparée du reste de la salle par un petit meuble où était posée une plante verte à larges feuilles. On devait pouvoir s'acagnarder dans l'angle, un coude sur la table de marbre, et dormir longtemps devant son verre sans être dérangé. Quantin lutta contre cette envie d'aller s'asseoir. Debout devant le comptoir où il s'appuyait de tout son poids, il but d'un trait un verre de marc. C'était un alcool sans goût ni parfum, qui manquait de tonneau et n'était certainement pas de pur raisin. Il sentait tout cela, mais un peu en dehors de lui. Comme le verre était très petit, il en demanda un deuxième.

A côté de lui, des hommes parlaient des courses de chevaux. Ils venaient d'apprendre qu'elles n'auraient pas lieu à cause de la neige, et ce contretemps semblait les affecter autant qu'un grand deuil. Ce devait être une affaire importante. Ils la considéraient comme un bouleversement de toute leur existence, et Quantin eut envie de leur crier qu'ils avaient de la chance de n'avoir rien de plus malheureux à déplorer.

La chaleur de l'alcool et la stupidité de ces hommes ranimaient sa colère. Il y puisa la force de sortir.

Le froid lui parut moins vif et il sentit revenir en lui assez de vigueur pour tenir encore quelques heures.

Il devait tout tenter pour retrouver Marie-Louise et l'entraîner jusque chez eux. L'emmener sans lui laisser soupçonner ce qu'il avait appris. Ne pas la heurter, et attendre qu'elle soit là-bas pour tenter de la sauver.

Il essayait de l'imaginer en fonction de tout ce qu'il avait vu depuis son arrivée ici. Il se remémorait ce qu'on lui avait dit. Il s'efforçait de comprendre ce qui avait pu se passer en elle, ce qu'elle pouvait être réellement, ce qui avait pu la détacher si vite des siens et de tout ce qui faisait leur vie simple et belle.

Lorsqu'il rassemblait ces éléments pour tenter de se représenter Marie-Louise, il avait le sentiment de fabriquer un visage, une silhouette, un personnage qui ne pouvait jamais ressembler à sa propre fille.

Invariablement, il finissait par revenir à cette idée qu'elle n'avait pas pu se métamorphoser de la sorte. Elle pouvait avoir changé, subi de mauvaises influences, mais il suffirait sans doute qu'ils se rencontrent pour que tout soit de nouveau possible.

Il se souvenait d'autrefois, de ces regards qu'ils échangeaient tous deux lorsque la mère criait, de cette force qui leur venait, de cette entente silencieuse qui leur permettait de se sentir heureux même sous l'orage.

Lorsque Marie-Louise apparaîtrait, il faudrait absolument qu'il ait la force de ne pas crier. La force de sourire ; de retrouver dans le silence cette complicité qui leur avait donné tant de joie secrète. S'il criait, la petite se raidirait comme lorsqu'elle était enfant. Elle se buterait. Elle se retrancherait derrière un regard qu'elle savait rendre imperméable.

Personne jamais n'avait rien pu obtenir d'elle par la colère. La brutalité provoquait chez elle une immobilité qui était pire que tout. Elle devenait un bloc de marbre. Elle s'enfermait.

Quantin pensa soudain à un mot de sa femme au moment de son départ :

— S'ils ne veulent pas la lâcher, dis-leur que je suis malade et que je la réclame.

Ce n'était pas à ses patrons qu'il devait envisager de mentir, mais à elle-même. Le pourrait-il ? Il imaginait son regard. Il savait qu'elle demanderait des détails. Il cherchait les mots qu'il pourrait inventer et il ne trouvait rien.

Et si Marie-Louise répondait non ? Si elle disait que c'était impossible, qu'elle ne pouvait pas le suivre, même pour voir sa mère malade ?

Cette éventualité l'effrayait, et pourtant, il sentait que ce n'était pas impossible. Il réfléchit encore, puis, soudain, il pensa à Denise. C'était d'elle qu'il fallait parler.

Il prononça lentement, à voix haute, les mots qu'il dirait :

— Denise est très malade... Il faut que tu viennes avec moi... C'est elle qui te réclame...

Il dit cela, et toute l'enfance des deux gosses se trouva devant lui. Là, toute proche, comme une jolie bête bien vivante et qu'il allait pouvoir caresser de la main. Les yeux des petites, où il avait toujours pu lire leurs joies et leurs peines. Il revoyait tout cela, lumineux et clair, avec des rires, beaucoup de rires qui faisaient joie à écouter. Il revoyait tout, et surtout les larmes de Marie-Louise la première fois qu'Isabelle avait emmené Denise à l'hôpital. Ce matin-là, il avait passé plus d'une heure à la consoler.

A présent, il comprenait aussi que l'été précédent, c'était surtout Denise que Marie-Louise était venue voir. SA Denise.

S'il parvenait à lui parler d'elle, à lui faire admettre qu'elle était malade, qu'elle la réclamait vraiment ; s'il pouvait parler assez bien de *leur* crèche de petites filles... S'il trouvait la force de mentir...

Mentir. A ce seul mot il entendait sa femme :

— Tu leur écriras, à ses patrons... Tu leur parleras de tes principes... Tu leur diras que tu es un honnête homme qui n'a jamais menti à personne !...

Elle avait raison : il pouvait se vanter de n'avoir

jamais trompé personne. Et pourtant, à présent, il sentait qu'il saurait mentir à Marie-Louise.

Ils partiraient tous les deux. Ils monteraient le chemin dans la neige. Ils retrouveraient la chaleur de la maison et Denise serait heureuse. Il y aurait dans son regard, cette joie qui l'embellit.

Quantin ralentit le pas. Il imaginait aisément cela, mais ce qu'il ne parvenait pas à se représenter, c'était la réaction de Marie-Louise lorsqu'elle découvrirait qu'il avait menti. Car elle non plus ne l'avait jamais entendu mentir.

Arrivé près du théâtre, Quantin trouva sans peine le « Tam-Tam », mais un écriteau sur la porte lui apprit que l'établissement n'ouvrait qu'à 15 heures.

A cette heure-là, Marie-Louise serait sans doute partie. Il était allé à la gare et n'avait pas demandé l'horaire de départ des trains pour Paris. C'était sans doute à la gare qu'il avait le plus de chances de la voir, et il n'y était pas resté. Il n'avait pas su attendre à sa porte, et l'avait manquée. Il n'avait pas su attendre à la gare, et il laissait échapper sa dernière chance de la retrouver. Est-ce que le plus sage n'était pas de retourner à la gare dès à présent ? Pouvait-il demeurer deux heures planté devant ces petites vitrines à fond de tissu rouge où étaient épinglées des photographies de femmes à peu près nues ? Il les regarda un moment avec la crainte d'y découvrir sa fille, mais il comprit qu'il s'agissait d'artistes de cabarets. Ces filles qui chantent en se déshabillant.

— Un métier !

Un métier où il devait y avoir aussi de braves filles, travailleuses et honnêtes. Si on lui avait dit, deux jours plus tôt : « Ta fille fera ce métier-là », il se serait mit à rire. Et à présent, il lui semblait que ce métier-là comparé à d'autres...

Il traversa la rue. Non, il ne resterait pas ici, mais il ne retournerait pas à la gare non plus. Il avait trop couru déjà, trop perdu de chances à chercher sans idée précise. Il y avait un café d'où l'on pouvait voir la porte du « Tam-Tam » ; Quantin y entra et s'assit près de la vitre, devant une toute petite table carrée, en matière plastique noire où se reflétait un angle de ciel gris. Il commanda un café qu'on lui servit dans une tasse minuscule et avec du sucre enveloppé dans un papier. Le garçon du bar se chamaillait avec une grande fille blonde, à cheveux très longs, vêtue d'un maillot de laine verte qui moulait ses hanches et sa poitrine. Une autre fille, presque noire de peau et le nez légèrement aplati, marchait devant le bar en se regardant dans le miroir fermant le fond de la salle. Quantin l'entendit qui disait à un garçon .

— C'est pas parce que j'ai quinze ans...

Il regarda mieux. Cette fille au corps de femme avait quinze ans. Elle fumait. Elle était dans un bar.

— Pendant six mois, continuait-elle, les flics m'ont raccompagnée chez moi tous les soirs. A présent, ils en ont marre... J'ai une carte d'identité... Je les emmerde.

Des mots se perdaient dans le brouhaha du bar. Une fille à pantalon de velours rouge et tricot blanc avait mis en marche un appareil à disques. Quantin regardait tout ce monde, écoutait, respirait, réellement éberlué. Il y avait là un garçon à visage de Christ mais dont les cheveux étaient bien plus longs que ceux de certaines filles. Un immense gaillard aux moustaches de Gaulois. Un garçon verdâtre, seul, figé à une table, paraissait sourd, muet, aveugle avec ses yeux incroyablement vides et fixes. Une fille à voile noir et visage de madone. Quantin se demandait s'il n'était pas en train de rêver tant ce monde lui paraissait loin de la vie. Il y avait sur tous comme une espèce de demi-sommeil triste, une peur de la joie qui crispait les visages.

Il les observa un moment encore, puis, pris d'un brusque malaise, il paya sa consommation et sortit très vite.

21

Quantin erra dans le quartier sans oser s'éloigner. Il alla seulement jusqu'au quai de la Saône, mais il avait perdu le goût de regarder. Il ne savait plus au juste ce qu'il attendait. De loin en loin, comme pour se justifier, il se répétait qu'il n'avait pas le droit de s'en aller sans avoir tenté cette ultime chance.

Par deux fois encore, il entra dans un café pour boire un verre de marc. Les verres étaient toujours très petits, mais, comme il n'avait rien mangé, il ressentait l'effet de l'alcool.

Enfin, peu après 3 heures, il pénétra au « Tam-Tam ».

Il n'avait pas hésité à pousser cette porte, car plus rien ne l'effrayait. Malgré tout, une fois à l'intérieur, il s'arrêta.

C'était comme s'il eût brutalement changé de planète. Il se trouvait dans un monde rouge.

Ici, tout était rouge : les tables, les banquettes, les murs, les lampes. Même la veste blanche du garçon paraissait rouge.

Il regardait les lampes, mais il lui semblait que la lumière baignant la pièce venait d'ailleurs. De partout et de nulle part. Elle pouvait suinter du plafond et des murs tout aussi bien que monter du sol comme ces ondes de chaleur que dégage le goudron des routes les jours d'été. Et c'était une lumière qui n'éclairait pas vraiment. Elle épaississait l'air, elle le chauffait jusqu'à le rendre irrespirable.

Les êtres qui se trouvaient là semblaient d'ailleurs à demi étouffés par cette atmosphère que Quantin découvrait en se demandant si ce n'était pas sa propre vue qui le trahissait. C'était peut-être ainsi que les agonisants voyaient le monde.

Il fut frappé par cette idée et pensa aux gens qui meurent de ce que l'on nomme un coup de sang. C'était probablement le sang qui brouillait sa vision.

Il s'efforça de respirer, d'avancer un peu.

Il y avait de la musique douce. Une femme âgée était assise derrière une caisse un peu plus haute que le comptoir.

Quantin se dirigea lentement vers ce comptoir et demanda au garçon s'il connaissait Marie-Louise Quantin. L'homme fit un signe de tête et dit :

— Demandez là-bas.

A une table, deux femmes étaient assises. L'une tournait le dos à la salle. Quantin crut un instant que son cœur allait s'arrêter. Mais, comme la fille remuait la tête, il vit que ce n'était pas Marie-Louise. Il regarda de nouveau le garçon qui répéta :

— Allez leur demander. Elles vous renseigneront mieux que moi.

Quantin se sent paralysé. Il sait qu'il va faire son dernier effort, épuiser son ultime espoir. Son corps s'incline lentement en avant, comme s'il allait s'affaler de tout son long entre les tables, mais son pied quitte le sol. Malgré lui, il avance.

Il approche. Il s'arrête. La fille qui lui fait face sourit et dit :

— Bonsoir.

Quantin répond, d'une voix à peine audible :

— Bonsoir.

La fille qui tourne le dos se lève et s'éloigne en direction du comptoir. L'autre se pousse un peu sur la banquette et lui désigne la place qu'elle vient de quitter.

— Assieds-toi, dit-elle.

Quantin avale d'un coup toute la salive qui s'est amassée dans sa bouche. Il bredouille :

— Je cherche Marie-Louise Quantin.

— Justement, assieds-toi. Je vais t'en parler, de ta Marie-Louise.

Il s'assied. Sans en avoir envie, il s'assied à côté de cette fille dont le parfum lui rappelle celui du Salon Roberti.

La fille le prend par le bras pour se coller plus près de lui.

— Moi, dit-elle, je m'appelle Diane... Ça te plaît ? Ça devrait te plaire, tu as un manteau d'homme des bois.

Elle rit. Quantin voudrait la gifler. Il se soulève sur la banquette, mais la fille le retient.

— Bouge pas, souffle-t-elle, je vais t'en parler, moi,

de ta Marie-Louise. Elle est partie. Mais c'était ma copine...

Le garçon apporte deux grands verres contenant de la glace et un liquide trouble, comme de l'absinthe.

— On va causer gentiment, en copains, explique la fille. On va boire un verre et on va bavarder, hein ?

Le garçon dit :

— Ça fait huit cents.

Quantin ne réfléchit même pas. Il tire de son portefeuille un billet de mille francs. La fille parle toujours.

— Ta Marie-Louise, tu sais, c'était une bonne môme ; mais, moi, elle m'avait toujours fait une drôle d'impression.

La fille rit encore. Elle tourne vers Quantin son visage qui souffle de la fumée de tabac blond.

— Tu vois, dit-elle, paraît qu'elle est partie avec un mec qui a une bagnole longue comme un trolleybus. Eh bien, moi ça me fait pas bisquer.

Quantin sent que la fille passe son bras autour de son cou. Il se crispe pour ne pas bouger. Mais au moment où il sent sur sa joue le contact de cette peau tiède, il éprouve comme une décharge électrique qui le fait bondir. Il ne se contrôle plus.

— Marie-Louise !

Il s'est levé d'un coup en repoussant cette fille. La table remue et l'un des verres se renverse.

— Non mais, dis donc, crie la fille, ça va pas bien ?

Une autre voix lance :

— Il est rétamé, laisse mouler !

Quantin marche très vite jusqu'à la porte. Comme

il a du mal à ouvrir, il entend une voix d'homme qui demande :

— Qu'est-ce que tu lui as fait ? T'as tout de la brute avec les vieillards !

Quantin a pu ouvrir. Il sort. Des rires montent derrière lui, des rires qui se cassent d'un coup au moment où la porte bat.

22

Il était parti comme sous un coup de fouet. Brûlé, c'était le mot. Brûlé par le contact de cette peau de fille sur sa peau de vieil homme. Une fille qui pouvait avoir l'âge de la sienne !

Tout s'était détraqué en lui. Une mécanique qui s'emballe. Un vieux bastringue qui se met à moudre tous les airs de son répertoire pêle-mêle, avec des sautes de rythme, des arrêts brusques, des départs grinçants, des mesures qui se chevauchent. Quantin était cela. Tout lui revenait comme un mauvais vin. Il était saoul de tout ce qu'il avait entendu. Il vomissait des mots :

— Un vieux à la grosse galette... Plein aux as... Un vieux qu'a des sous... C'est tout ce qu'elles rêvent.

— Avoir tant travaillé pour revenir s'enterrer dans la cambrousse où ont croupi des générations de Quantin !

— Quantin paysan... Quantin chapeau noir... Quantin pelisse... Quantin homme des bois... Quantin démodé... vieilli... rétamé... foutu !

— Marie-Louise, une qui a su se débrouiller, tiens !

— Une fille bien... Et travailleuse, et tout.

— On la regrettera, cette petite-là...

— Un mec avec une voiture longue comme un trolleybus !

— Vous savez, c'est pas une fille qui s'amuse.

— Faut qu'elle en gagne, tout de même, pour faire des cadeaux pareils à sa sœur !

— Ta Marie-Louise, c'était ma copine.

— Tu lui diras que je suis malade.

— Quand je pense qu'elle s'est débrouillée toute seule !

Tout se mêlait. Les voix et les visages. Les bruits et les couleurs de cette ville qu'il ne voyait plus.

A plusieurs reprises, il voulut encore évoquer Marie-Louise. C'était chaque fois une autre silhouette, un autre visage qui s'imposaient à lui. La femme aux cheveux bleus, la putain brune, la putain blonde, la fille de quinze ans, la fille du « Tam-Tam »... Elles avaient toutes le même visage. La même absence de visage.

Il se retrouva une fois de plus à la gare et se planta près de l'entrée des voyageurs. Il n'y avait plus d'espoir en lui, plus qu'un instinct de bête dont le maître est mort, mais qui continue pourtant de le chercher parmi les vivants.

Elle était partie en voiture, mais il l'attendait là, près de ce portillon où disparaissaient des manteaux de fourrure et des cheveux blonds, bruns, roux... Il ne savait même pas de quelle couleur étaient aujourd'hui les siens.

Voilà : Quantin, c'était devenu cela. Un vieux sans force, un vieux dont les mains ouvertes pendaient de chaque côté de son corps. Deux grosses mains inutiles, marquées par une vie de peine, habituées à tout entreprendre et à tout mener à bien, mais qui n'avaient rien pu faire pour retenir Marie-Louise.

Quantin, c'était cet homme d'un autre âge que les

gens d'aujourd'hui bousculaient, malmenaient comme une épave qui a déjà perdu sa forme.

Il attendit ainsi pendant un temps qu'il ne pouvait plus évaluer. Un temps qui s'était arrêté de couler. Rien ne marque moins le passage du temps que ce passage des foules anonymes en un lieu où rien ne distingue le jour de la nuit. Car la lumière de cette entrée de gare n'était ni celle du jour ni celle de la nuit. Mais un éternel crépuscule indécis et morne.

Comme il était petit, frêle, vulnérable, le père Quantin perdu dans cette immense salle où les bruits étaient pareils à ceux des églises ! Comme il était petit, lui qui se sentait si grand, et si fort lorsqu'il se trouvait seul sur sa terre ! C'était pourtant autre chose, l'immensité de la plaine à ses pieds, le poids des collines derrière lui. C'était autre chose encore, ce poids du ciel, de la lumière, du vent venu d'entre bois et nuées. En présence de tout cela, Quantin restait Quantin. Il ne se sentait jamais autrement que soi-même. Emu, impressionné, écrasé, certes, mais jamais désorienté. C'est qu'il avait sous lui quelque chose qui tenait bon à ses pieds. Pas un sol fabriqué avec des matériaux déjà eux-mêmes fabriqués. De sa terre, montait une espèce de force invincible, intangible, indescriptible, mais qui vous soutenait, qui vous aidait à mieux voir les événements. Ici, c'était le vide ou l'écrasement. Le vide le plus terrible ; celui que l'on éprouve dans ce désert que sont les foules ; l'écrasement de ce qui vous prive de ciel, d'air, de lumière. Tout ce que l'on appelait ici : lumière, Quantin le sentait pénétrer en lui comme un poison. L'autre, la vraie, celle qui contient le germe de vie sans quoi le blé ne sort jamais du sillon, celle-là n'osait pas pénétrer jusqu'en ce lieu où elle redoutait d'être ternie.

Et la foule passait toujours. Avec un long grognement ; avec une plainte qui était celle de son immense peine, de son effort à la recherche d'une joie qui semblait inaccessible.

Insensiblement, Quantin sentit faiblir sa résistance au courant qui le tirait vers le passage. Il y fut bientôt, il dut suivre le flot, poussé par des valises qui lui cognaient les jambes. Il y eut des injures lorsqu'il dut chercher son billet, mais il ne pouvait plus rien entendre. Sa tête était aussi sonore que cette marquise de gare où tout vibrait, où tout se confondait en échos.

Il ne savait plus rien. Il était la bête que l'instinct ramène vers son trou.

Il fut le premier à monter dans la micheline vide. Installé dans un coin, il releva le col de sa pelisse, ôta son chapeau pour pouvoir appuyer sa tête et ferma les yeux. Il n'avait pas sommeil, mais la fatigue et le manque de nourriture le plongeaient dans un bain où il flottait. Les bruits lui arrivaient très assourdis, cotonneux, et traînant derrière eux un écho interminable.

Quantin était là comme un vase où l'on a remué de l'eau trouble et qu'on laisse reposer ; comme une vendange qui n'a pas tout à fait fini de fermenter. Mais il allait avoir tout ce voyage de retour pour se reprendre, pour réfléchir à ce qu'il dirait en arrivant. En ce moment, il voyait seulement qu'il était venu là pour rien ; qu'il n'avait pas su retrouver Marie-Louise ; et qu'il s'en allait avec un mal dont il ne pouvait pas encore mesurer la gravité.

Quantin avait commencé de s'assoupir lorsque les premiers voyageurs arrivèrent dans la voiture. Il ouvrit les yeux le temps de constater que beaucoup de lampes s'étaient allumées, hâtant le crépuscule. Par-delà les lumières de la gare, le ciel s'assombrissait, de plus en plus bas, de plus en plus lourd. Quantin resta sans pensée, jusqu'au moment où une femme vint s'asseoir en face de lui :

— Mais oui ! C'est bien monsieur Quantin !... Depuis le quai, je me suis dit : Tiens, cet homme ressemble à monsieur Quantin.

La voix l'avait fait sursauter. Il ouvrit tout à fait les yeux pour reconnaître la fille Perdigault. Il se souvint qu'elle travaillait dans les bureaux de l'usine qui s'était montée, deux ans plus tôt, tout en bas du pays. Cette fille, Quantin savait qu'elle était à peu près de l'âge de Marie-Louise. Il y pensa immédiatement et sentit qu'elle allait lui parler d'elle. Il le redoutait. Il cherchait fébrilement un mot à dire qui pût éloigner de l'esprit de cette fille le nom de Marie-Louise, mais la fille fut plus rapide que lui.

— Vous êtes venu voir Marie-Louise, dit-elle.

Ce n'était même pas interrogatif. Il était si naturel qu'un père fît ce voyage pour embrasser sa fille !

— Oui, dit-il. Bien sûr.

— Est-ce qu'elle est toujours contente ?

— Bien sûr.

— Elle ne vient pas souvent au pays.

— Ah, c'est pas facile, tu comprends.

— Naturellement, tout le monde a ses occupations. Comme dit mon père : de nos jours, c'est l'horloge qui mène le monde, les aiguilles tournent plus vite qu'autrefois.

Elle riait, mais elle estimait tout de même que son père n'avait pas tort. Pour elle, c'était la même chose. Uniquement pour obtenir de son patron cette seule journée de liberté, elle avait dû s'arranger avec une camarade. Et ce n'était pas toujours facile.

Quantin approuvait. De loin en loin, il lâchait un

oui incolore, ou hochait la tête, espérant qu'elle finirait par se lasser. Mais non, elle parlait. Et il n'y avait aucune raison pour qu'elle ne continuât pas durant tout le voyage. Son bavardage était supportable, mais Quantin redoutait d'autres questions concernant Marie-Louise. Comme pour justifier cette appréhension, elle demanda :

— Et vous venez la voir souvent, Marie-Louise ?

— Non, c'est la première fois.

— Sa maman, le temps doit lui durer.

— Bien sûr.

— Et Marie-Louise ne vient même pas pour Noël ?

— Hé, non, ce n'est pas possible.

La fille Perdigault eut un regard rapide et intrigué sur le quai. Quantin espéra un instant qu'elle allait trouver une autre personne du pays avec qui bavarder, mais elle revint à lui en disant :

— J'avais cru reconnaître une copine, mais c'est pas elle.

Quantin soupira. Il venait de penser qu'il n'avait pas de chance, et le mot lui fut douloureux. Déjà, la fille s'était remise à parler :

— Dites donc, demanda-t-elle, faudra me donner l'adresse de Marie-Louise. Enfin, l'adresse où elle travaille. Des fois que je reviendrais, j'irais lui dire un petit bonjour.

Quantin sentit son front devenir chaud. Il chercha un moment ce qu'il pouvait inventer, mais il ne trouva rien. Alors, lentement, comme si chaque mot lui eût coûté un énorme effort, il dit :

— C'est que... Justement... Je suis venu la voir parce que sa situation change, vous comprenez... Alors, elle part à Paris.

Il avait à peine terminé que la fille se mettait à pousser des exclamations d'admiration. Et Quantin dut subir une avalanche de questions. Il répondit tant bien que mal, cherchant ses mots, expliquant seulement qu'il s'agissait d'un stage, et qu'on ne savait pas au juste combien de temps il durerait.

Il put bientôt se taire. La fille Perdigault en savait assez. Maintenant, c'était elle qui parlait. Elle seule, sans demander de réponse. Elle faisait l'éloge de Marie-Louise.

Une fille bien... Et qui avait su se débrouiller toute seule. Oh, elle ne disait pas cela pour faire des reproches aux parents, eux, ils avaient fait ce qu'il fallait, mais en ville, ça ne devait pas être drôle tous les jours de se débrouiller. Et puis, la ville, c'était tout de même plein de dangers. Mais Marie-Louise, c'était quelqu'un.

Chaque mot qu'elle prononçait, chaque petit cri qu'elle poussait tombait en lui comme un plomb en fusion. Elle finit par en dire tant et tant que Quantin se demanda si elle ne se moquait pas de lui. Somme toute, il la connaissait assez peu. Et puis, ils vivaient tellement à l'écart du village, dans leur maison à flanc de colline ! Il pouvait se passer bien des choses sans qu'ils en soient jamais informés. Est-ce que quelqu'un du pays aurait vu Marie-Louise à Lyon ? Est-ce que le village était au courant ? Quantin regardait la fille Perdigault au fond des yeux, mais il lui semblait que ces yeux-là étaient imperméables. Ils étaient comme ce qu'elle disait, ils allaient d'un point à un autre, tels des animaux un peu fous.

Quantin eût aimé lui poser des questions savantes, lui tendre des pièges adroits, l'amener à lâcher un mot, mais il ne pouvait pas, il ne savait pas. On ne s'improvise pas policier. Il pensa au père Guste Perdigault qui devait avoir une soixantaine d'années lui aussi, et qui était un bien brave homme. Pourquoi cet homme aurait-il eu une fille ?...

Il s'arrêta dans sa pensée. Un rire aigu lui était venu soudain qui l'avait paralysé. Pourquoi un honnête homme peut-il avoir une fille qui soit ?...

D'ailleurs, avec cette fille Perdigault en face de lui, il ne pouvait pas réfléchir. Déjà elle lui posait d'autres questions, parlant du travail, de Denise, de la maison...

Durant tout le voyage, elle continua de parler. Mais Quantin cessa vite de l'écouter. Avec le roulement de la micheline, ce flot de mots finit par faire un seul bruit continu qui ne voulait vraiment plus rien dire.

Quantin s'était enfermé dans une espèce de torpeur moite où il se sentait presque à son aise. Il n'y avait en lui qu'un remuement de souvenirs entremêlés, de visages sans nom, de voix sans timbre défini et dont le langage aussi avait perdu toute signification. Sa douleur sommeillait, tapie au fond de lui, de ce sommeil léger des fauves longtemps irrités et prêts à recommencer de mordre.

Sans sortir de cette tiédeur immobile, Quantin hochait la tête et laissait aller un grognement chaque fois que la fille Perdigault marquait un léger temps d'arrêt. Et ce signe imperceptible, ce raclement de gorge qui ne voulait plus dire ni oui ni non, avaient le pouvoir de relancer cet interminable monologue auquel il s'était habitué.

23

L'instituteur attendait Quantin à la gare. Il devait se tenir sur le quai depuis longtemps car il était blême et claquait des dents.

— Je suis venu hier, expliqua-t-il. Et le chef de gare m'a dit que vous étiez parti... Alors voilà, je suis revenu ce soir.

Il parlait à mots hachés, le souffle court. Il suivit Quantin dans le bureau où celui-ci allait chercher ses guêtres. Il piétinait. Il allait du poêle à la table, fébrile, attendant d'être seul avec Quantin pour lui poser des questions. Quantin sentait qu'il avait mal, qu'il avait dû souffrir tout la nuit, lui aussi, tout le jour ; lutter contre le désir de monter jusque chez eux pour savoir.

Dès qu'ils eurent franchi la porte, d'une voix enrouée par l'angoisse, l'instituteur demanda :

— Alors, qu'est-ce qu'il y a ?

Quantin n'eut qu'un geste vague et le garçon reprit :

— Elle est malade ? Elle a eu un accident ?... Vous ne voulez rien me dire, ça doit être très grave, alors.

Comme ils passaient devant la boulangerie encore éclairée, l'instituteur se pencha pour regarder Quantin.

— Vous n'êtes pas bien, dit-il. Ça se voit. Elle est très malade, n'est-ce pas ?

Quantin ralentit. Ils s'arrêtèrent. Ils étaient encore dans la lumière et Quantin planta son regard bien droit dans celui du garçon, comme il faisait lorsqu'ils bavardaient, accoudés à la table.

— Non, fit-il très ferme, elle n'est pas malade. Je vous en donne ma parole.

L'instituteur hésita un instant avant de demander, comme à regret :

— Mais qu'est-ce que vous avez ? On dirait que vous êtes malade vous-même.

— Non, non, ça va. C'est seulement le voyage qui m'a fatigué un peu... Je n'ai pas l'habitude, vous comprenez.

Ils se remirent à marcher, mais, arrivé devant le bureau de tabac, l'instituteur prit le bras de Quantin et, l'obligeant à s'arrêter, il dit :

— Il y a autre chose. Je le vois.

Quantin baissa la tête. Il ne pouvait plus soutenir ce regard ; il eût aimé répondre, trouver un mot, une idée. Si seulement il avait été seul dans cette micheline, il eût sans doute préparé quelque chose.

— Dites-moi au moins pourquoi elle ne vient pas ? supplia le garçon.

— Parce qu'elle ne peut pas. C'est impossible.

C'était une réponse stupide. Il le sentait, il savait que l'instituteur allait dire :

— Mais pourquoi ? Pourquoi ? Et pourquoi êtes-vous parti la voir si précipitamment ?

— Parce qu'elle ne pouvait pas venir, et que... et qu'il fallait lui porter...

Quantin se tut. Il venait seulement de s'apercevoir qu'il n'avait plus le paquet. Il réfléchit très vite. Il était certain de ne pas l'avoir oublié dans la micheline. Il l'avait encore avant d'entrer au « Tam-Tam ». Il s'en souvenait parfaitement. Ensuite, vraiment, il ne savait plus.

Et, pendant qu'il réfléchissait, l'instituteur continuait ses questions :

— Mais enfin, dites-moi pourquoi elle n'est pas venue... Puisque tout était prévu... Vous l'attendiez...

— Eh bien, oui. Mais c'est impossible.

Quantin ne pouvait plus supporter ce regard. Il y avait trop de douleur contenue, trop de rage impuissante dans les yeux de ce grand garçon dont le corps maigre paraissait la proie de la bise. Le bousculant presque pour passer, Quantin se remit à marcher.

— Laissez-moi, dit-il, il faut que je rentre. Ma femme m'attend. Elle sait que le train a passé. Et puis je suis réellement très fatigué.

— Alors, je vais vous accompagner jusqu'à proximité de chez vous.

— Non, c'est inutile !

Quantin avait lancé cela sur un ton très sec, qu'il n'avait jamais employé avec ce garçon.

Ils marchèrent un moment côte à côte, dans ces rues de village où le chasse-neige avait fait deux levées pareilles à d'énormes sillons tout au long des trottoirs étroits.

Quantin éprouvait un immense besoin d'être seul. Dans le train, il avait pensé à ce chemin qu'il devrait parcourir dans la nuit. Il y avait pensé comme il pensait à une source, l'été, lorsqu'il fauchait le foin de l'autre côté du bois. Il y pensait encore. Il avait l'impression de traîner l'odeur de la ville et son bruit dans les poils de sa pelisse, comme une poussière tenace.

C'était une glu, un germe de maladie dont il devait à tout prix se défaire avant d'atteindre sa maison. Débarrassé de cela, il serait plus lucide.

Ils marchèrent un moment en silence. Les rues étaient désertes. Quelques fenêtres aux volets encore ouverts éclairaient les tas de neige. La route luisait. Les traces de patins et de roues ferrées brillaient beaucoup plus que le reste, comme de longs serpents craquelés que le gel eût brisés çà et là.

La bise portait quelques pillons minuscules qui étincelaient en passant sous les lampes.

Un homme qu'ils croisaient leur cria :

— Bon Noël à vous deux !... Et bonne nuit !

— Bon Noël ! lança Quantin qui avait reconnu le Denis Malègue.

Sans s'arrêter, l'autre cria encore :

— Il va revenir de la neige. Et quand il neige de bise, il neige à sa guise !

Ils n'étaient plus très loin de la maison d'école, lorsque l'instituteur observa timidement :

— Monsieur Quantin, il y a quelque chose que vous ne voulez pas me dire... Une chose qui me concerne... Mlle Marie-Louise vous a parlé de moi... Elle vous a peut-être même chargé d'une commission que vous n'osez pas me faire...

Sa voix tremblait. Sa grande main maigre sortit de sa poche pour venir s'agripper au bras de Quantin qu'il voulait, une fois encore, contraindre à s'arrêter. Ils se retrouvèrent face à face. Le long corps de l'instituteur, qui semblait flotter dans son manteau pétri par la bise, se cassa en deux. Sa tête s'inclina vers Quantin. Ils se trouvaient juste sous une lampe qui se balançait au milieu de la rue. La lumière jouait sur les cheveux noirs et bouclés de l'instituteur ; ses traits tirés étaient encore accusés par le va-et-vient des ombres. Sur le bras de Quantin, sa main crispée tremblait.

— Vous l'avez vue, dit-il. Vous l'avez vue ?

Quantin ne put répondre. Il inclina seulement la tête. Le garçon reprit :

— Je savais bien ! Alors, il faut tout me dire. Tout... Elle vous a parlé de moi, n'est-ce pas ?... Elle... elle ne veut pas...

Tant de douleur faisait mal à Quantin qui en oubliait presque sa propre peine.

— Vous comprenez, fit-il, elle doit partir... Elle part plus vite qu'elle ne pensait... C'est indispensable... pour sa situation...

— Alors, elle va à Paris ?

— Oui, à Paris.

Chaque mot coûtait à Quantin un effort énorme.

— Elle ne reviendra pas ici, avant de s'en aller ?

Il fit non de la tête.

— C'est fini ? Elle ne reviendra plus jamais ?

Sa voix tremblait. Elle avait des aigus qui faisaient mal à entendre. Il s'était réellement accroché à Quantin et continuait d'implorer. Il avait quelque chose d'un homme qui a bu.

Un volet claqua quelque part et Quantin perçut un bruit de pas. Ne sachant comment calmer le garçon, il dit très vite :

— Venez avec moi jusqu'à la scierie... Allons, venez !

Ils marchaient aussi rapidement que le permettait le sol glissant. D'ailleurs, à mesure qu'ils avançaient, la neige était moins tassée. La marche n'était guère plus facile, mais les risques de chute diminuaient.

Passé la dernière maison, d'une voix beaucoup plus calme, l'instituteur déclara :

— Eh bien, puisqu'elle ne vient pas, je vais aller la voir à Lyon. Je partirai demain matin. J'aurais déjà dû aller depuis longtemps. J'ai eu tort de vous écouter.

Quantin fit quelques pas, respira profondément et répondit :

— Elle est déjà partie.

— Ça n'a aucune importance, j'irai aussi bien à Paris. Donnez-moi son adresse.

Au tremblement de sa voix, Quantin sentit le mal qu'il avait à se dominer. Sans réfléchir, il répondit :

— Je n'ai pas son adresse.

Alors l'instituteur parut perdre le contrôle de soi. S'accrochant des deux mains, cette fois, il se planta devant Quantin en criant :

— Ça n'est pas vrai ! Vous mentez !... Vous me cachez quelque chose !... Vous vous moquez de moi !... Vous n'avez pas le droit !...

Ils étaient à hauteur des premiers tas de planches de la scierie ; il faisait très sombre et Quantin devinait le visage du garçon plus qu'il ne le voyait. Il ne pouvait rien dire. D'ailleurs, l'instituteur ne l'eût pas écouté. D'une voix hachée par des sanglots qu'il voulait encore refouler, il continuait de crier :

— Vous ne me parlez pas franchement. Et c'est indigne de vous, indigne de moi, indigne de notre amitié. Vous n'avez pas le droit de me traiter comme ça. Je vous supplie de me donner son adresse. Je vous en supplie à genoux, monsieur Quantin.

Il allait se laisser tomber dans la neige, mais Quantin trouva la force qu'il fallait pour le retenir.

— Taisez-vous, fit-il. Je vous jure que je n'ai pas encore son adresse.

L'autre se tut. Il pleurait. Il murmura encore, mais sans colère, cette fois :

— Je suis foutu... Foutu... Mais vous ne pouvez pas comprendre... On voit bien que vous n'avez jamais aimé.

Quantin ne dit rien. Le mot l'avait à peine touché. Il avait envie de demander à ce garçon comment il pouvait aimer une jeune fille qu'il avait seulement rencontrée une dizaine de fois, comment il pouvait s'être attaché à elle à ce point pour avoir seulement reçu quelques lettres, mais il comprit que c'était inutile. Il avait du mal à juger de cela, mais il lui semblait que cet amour un peu fou n'était pas extraordinaire.

Il y eut un silence puis, comme l'instituteur se remettait à réclamer une promesse d'adresse, un moyen de correspondre, Quantin le prit par les épaules et, le secouant un peu, il dit :

— Il ne faut pas lui écrire... Il ne faut pas essayer de la revoir.

— Comment, il ne faut pas ?

— Non, il ne faut pas... C'est moi qui vous le demande.

— Elle vous a parlé de moi, n'est-ce pas ?

Sa voix était complètement enrouée. Comme Quantin ne répondait pas, il fut repris par la colère. Il se remit à crier :

— Mais parlez ! Parlez donc, Bon Dieu ! Expliquez-vous ! Elle va se marier. C'est ça ? Je m'en doutais. Elle part pour se marier. Elle en a trouvé un qui plaît mieux à sa mère... Et vous le saviez... Et vous ne m'avez rien dit... Vous m'avez laissé espérer... C'est peut-être qu'il vous convient mieux, à vous aussi !

Quantin allait parler, mais l'instituteur eut un grand rire de dément. S'écartant soudain, il parut regarder Quantin avec horreur. Il recula lentement en disant :

— Vous avez attendu ce soir. C'est mon cadeau de Noël, hein ? Merci bien, monsieur Quantin. Et bon Noël ! Amusez-vous bien. Bon Noël, monsieur Quantin !

Il n'était plus du tout maître de lui. Quantin voulut le rejoindre pour tenter de le calmer, mais l'instituteur s'enfuit en gesticulant et en répétant toujours les mêmes mots que la bise emportait :

— Bon Noël !... Bon Noël, monsieur Quantin !

24

Travaillé par la bise et sa marche incertaine, l'instituteur ressemblait à un grand manteau vide. Arrivé à l'entrée du village, sous la première lampe, il s'arrêta. Allait-il se raviser ? Allait-il s'écrouler comme un pantin abandonné ? Allait-il disparaître soudain, plaqué au sol par un coup de vent ou emporté vers une ruelle ouverte sur la nuit ?

Il vacilla un moment, s'inclina vers la droite, puis vers la gauche, gesticulant de nouveau. Enfin, il reprit son avance titubante, saccadée. Il paraissait traîner à ses pieds d'énormes charges, et chacun de ses pas donnait l'impression d'épuiser ses ultimes forces. Au tournant de la place, il disparut, brusquement absorbé par la maison des Maliveaux, et Quantin resta encore un moment à contempler la rue déserte.

La bise glissait sur la neige. Dans la cour de la scierie, une tôle et un fil de fer brimbalaient contre des planches. Des flocons blancs clairsemés filaient vers le village sans jamais se poser nulle part.

— Vous verrez, il en tombera encore...
— Quand il neige de bise, il neige à sa guise...
— Bon Noël !... Bon Noël, monsieur Quantin !
La voix de l'instituteur était encore là, vibrante de colère et mouillée de larmes. Quantin l'avait en lui, comme au cœur d'une blessure où est resté le fer.
L'instituteur était seul. Il s'était enfoncé dans la nuit. Une nuit plus obscure pour lui que pour bien d'autres, une nuit dont il avait espéré tant de chaleur et de lumière.
Tout autour de la maison d'école, le village commençait la veillée de Noël, mais l'instituteur allait demeurer seul. Tout seul avec cette peine qui le rongeait.
Etait-il donc possible d'aimer aussi vite et avec tant de passion ? Quantin essaya de retrouver dans un recoin de sa mémoire un souvenir dont le temps avait fini par user les arêtes vives. Il y parvint très mal. Et puis il le chassa, car ce soir il ne s'agissait pas de lui, mais de Marie-Louise. Il ne s'agissait pas du passé, mais de ce qui se passait aujourd'hui même.
— Marie-Louise, une fille pas comme les autres...
Il avait plus mal de ces simples mots que du souvenir retrouvé de vieilles amours mortes... Quantin sentit alors qu'il n'était plus qu'un père et qu'il lui était impossible de comprendre réellement ce que pouvait éprouver l'instituteur.
— J'irai aussi bien à Paris qu'à Lyon.
Et lui, pourquoi n'était-il pas allé à Paris ? Il y avait pensé tout à l'heure, dans la micheline. Il s'était même dit qu'il n'est jamais trop tard...
Il se mit à marcher, tournant le dos à la lumière. Par moments, lorsque la lampe se balançait de son côté, son ombre floue s'étirait devant lui, sur la nei-

ge. Bientôt il y eut le premier tournant de la montée, et il sentit qu'il avait réellement retrouvé son domaine.

Il allait remonter vers sa maison. Isabelle et Denise avaient certainement préparé la veillée. La petite avait coupé les châtaignes qui attendaient dans un saladier, toutes prêtes à griller. Isabelle avait-elle monté du vin jaune ?

Quantin pensa soudain à celui qui datait de la naissance de Marie-Louise. 1941. Ce n'était pas une très grande année, mais le vin jaune, lorsqu'il a sept ans de fût, c'est toujours un grand vin. Celui-là, il en avait gardé vingt bouteilles. Ils avaient bu les dix premières pour la communion de Marie-Louise, les dix autres se trouvaient toujours dans la cave, tout en bas du casier.

Dans le pays, c'est une coutume aussi vieille que le Savagnin : dix bouteilles pour la communion, dix pour le mariage. Le père de Quantin l'avait fait pour lui. Ils avaient bu les dix bouteilles et les dix qu'avait gardées, de son côté, le père d'Isabelle.

Dans la cave de Quantin, il y avait aussi des bouteilles pour Denise. Et celles-là, il avait même fallu les cacher sérieusement, parce que 47, c'était une fameuse année.

Quantin allait, la tête pleine de tout cela.

Dans les caves du pays, quand on démolit une pièce qui a fait son temps, il arrive qu'on découvre dessous des bouteilles à moitié enterrées. S'il y en a vingt, c'est qu'un enfant est mort avant d'avoir fait sa communion. Ou bien c'est le père qui est mort sans avoir pu dire où se trouvaient les bouteilles. Lorsqu'il y en a dix, c'est que l'enfant ne s'est pas marié... On a oublié les bouteilles, ou bien on a espéré trop longtemps.

En pensant à cela, Quantin avait la gorge serrée. Serrée tout d'abord sur une terrible envie de pleurer, puis sur une envie de rire.

Rire comme avait ri l'instituteur.

Arriver chez lui en hurlant :

— Sortez les bouteilles, on liquide !

Somme toute, il aurait même pu inviter l'instituteur. A quatre, ils auraient essayé de vider les dix bouteilles. Dix ? Pourquoi dix ? Ne fallait-il pas également débarrasser le 47 de Denise ?

Quantin avait parcouru à peu près la moitié du chemin, et il s'arrêta pour regarder la nuit. Il se secoua pour se débarrasser de ces idées-là.

Allait-il devenir fou ? Allait-il se mettre à déparler tout seul, au beau milieu du bois, en pleine nuit ?

La bise menait le branle dans les acacias et les frênes. Quelques charmilles encore feuillues grelottaient. Quantin sentit le froid qui l'empoignait.

Le chasse-neige n'avait pas dépassé les dernières maisons du village et la marche de nuit était très pénible. Mieux valait encore rester sur le côté, et progresser en neige vierge plutôt que de chercher à suivre les traces que l'on distinguait mal. La neige restait poudreuse, et très profonde aux endroits abrités du vent.

L'air était glacé, chargé de pointes acérées, mais Quantin se sentait brûlant à l'intérieur. Parvenu à l'embranchement des Parraux, il s'arrêta. S'il obliquait par le chemin du Moutillon, il ferait le tour du bois pour arriver derrière la maison. Avec ce temps, il lui faudrait une bonne heure. Une heure à peiner dans un chemin où personne sans doute n'avait dû passer depuis la neige. Une heure à lutter, à se sentir fouillé et déshabillé par la bise. Une heure seul, à se vider de tout. Une heure à s'épuiser et puis, ensuite, rentrer et tomber comme un homme ivre dans son lit. Ne rien dire, ne pouvoir écouter aucune question. Dormir dans la paille de la grange, peut-être, sans même dire qu'il était rentré. Est-ce que ce n'était pas possible, après tout ?

Il pensa au matin. Au petit matin froid dans la cuisine où l'on vient à peine d'allumer le feu. En ce moment, les femmes devaient attendre dans cette cuisine bien close, dans cette maison pelotonnée sur sa chaleur. Elles avaient écouté le passage du train. Elles calculaient le temps qu'il fallait pour monter.

— Avec Marie-Louise, il ne montera pas vite...

Quantin soupira et reprit son chemin. L'idée de ce qu'il devrait dire le harcelait, mais il la repoussait. Il sentait que c'était une attitude ridicule, qu'il valait mieux réfléchir qu'être pris de court, mais il ne pouvait pas s'y résoudre.

Il monta d'une traite jusqu'au tournant d'où l'on découvre la maison. Là, il marqua une halte. Non seulement la lampe de la cour n'était pas allumée, mais encore, les volets de la cuisine étaient restés ouverts. Comme ils sont toujours fermés à la tombée de nuit, c'était la première fois que Quantin voyait sa maison ainsi, d'aussi loin, avec une toute petite fenêtre lumineuse pareille à celles qu'on peint sur les cartes postales de bonne année. Le ciel était plus sombre que les collines enneigées, le toit était épais. Sur la neige de la cour, il y avait un grand rectangle de lumière.

A mesure que Quantin regardait cela, il éprouvait une curieuse impression. Peu à peu, il devinait ce qui avait dû se passer : au crépuscule, Isabelle avait voulu fermer les volets en disant qu'il faudrait allumer dehors à l'heure du train ; mais Denise s'était obstinée. Elle seule avait imaginé à quoi ressemblerait la maison, vue d'ici, avec la neige et la nuit :

— Une toute petite maison, comme la crèche, avec une fenêtre juste assez grande pour qu'on puisse voir tomber la neige...

A présent, elle était assise derrière cette fenêtre, à écouter miauler la nuit. Elle imaginait sa sœur atteignant le tournant du chemin et découvrant cette fenêtre éclairée, ce point de chaleur dans le froid de l'hiver.

Quantin voulut repartir tout de suite, mais il dut s'arrêter de nouveau. Ses yeux s'étaient brouillés. Les larmes qui étaient en lui depuis si longtemps le brûlaient comme un acide. Pour chercher son mouchoir, il ouvrit sa pelisse où le vent s'engouffra d'un coup. Tout l'hiver l'empoignait. Il tituba sur ses jambes qui ne le portaient plus.

25

La porte s'ouvrit au premier bruit que fit Quantin en frappant ses semelles contre la pierre du seuil. Il y eut sur lui et tout autour de lui un ruissellement de lumière et d'air chaud. Ebloui, il baissa la tête.

— Papa ! Papa !

Il garda la tête baissée comme pour s'inquiéter

vraiment de la neige collée à ses chaussures. Denise répéta :

— Papa !

— Mon petit, murmura-t-il.

— Et Marie-Louise, papa ?

Quantin vit s'avancer l'ombre d'Isabelle sur le plancher, puis paraître ses pantoufles brunes, ses jambes maigres dans les bas de laine noire. Il entra. Il leva les yeux vers elle puis, aussitôt, détourna son regard et partit vers la cuisinière.

Silence.

Il sentait sur sa nuque le regard des deux femmes. Il percevait leur respiration, celle du feu au rythme accordé à celui de la nuit assaillant la maison.

Il était là. Chez lui. Dans cette maison dont il avait tant espéré la chaleur et le calme, et il n'éprouvait rien qu'une angoisse pareille à celle qui l'avait talonné tout au long de sa longue marche.

Il était là, avec Isabelle et Denise, et il demeurait seul.

Avait-il donc définitivement rejoint la solitude ? Jusqu'à présent, il en avait repoussé l'idée, mais il venait d'avoir le sentiment qu'elle l'avait suivi à la trace dans cette nuit de décembre, et qu'elle était entrée sur ses pas comme un gros chien fidèle.

— Qu'est-ce qu'il y a ?

La voix d'Isabelle venait de très loin. Du fond d'un trop long silence. Quantin haussa lentement les épaules, soulevant ses mains qui retombèrent aussitôt. Son regard ne pouvait plus se détacher du minuscule rond de feu bien vivant qui palpitait au milieu de la cuisinière de fonte. La voix d'Isabelle monta d'un ton :

— Pourquoi reviens-tu sans elle ? Pourquoi ?

La chaleur qui s'élevait du foyer brûlait le visage de Quantin qui murmura lentement :

— Elle ne peut pas venir.

— Ils n'ont pas voulu la lâcher... Et toi tu n'as rien fait !... Rien du tout !

— Non... Rien.

Isabelle vint se placer au bout de la cuisinière, à la gauche de Quantin, et se pencha pour scruter son visage. Il sentait qu'elle voulait lire en lui. Il devait se dérober encore. Il pivota sur sa droite, alla jusqu'à une chaise où il s'assit lourdement.

— Alors, lança Isabelle, parle, quoi !

Il se baissa encore davantage pour délacer ses guêtres et ses chaussures. Ses doigts étaient raides et la neige avait durci les nœuds de cuir. La voix d'Isabelle lui cingla la nuque.

— Alors, est-ce que tu vas parler, oui ou non ? J'ai peut-être le droit de savoir quelque chose !

— Ne te fâche pas. Je t'en prie, ne te fâche pas.

Quantin avait parlé très bas et d'une voix qui tremblait. Un peu moins fort, mais toujours sur un ton tranchant, sa femme demanda :

— Qu'est-ce qu'il y a ?... Elle est malade ?

— Non, elle va très bien.

— Alors ?

Quantin, qui avait réussi à se déchausser, enfila ses chaussons et se leva lentement. Denise demanda, au bord des larmes :

— Alors, elle ne viendra pas ?

— Non... Pas pour le moment.

Isabelle qui s'était encore approchée le fouillait du regard. Elle remarqua :

— Tu as une drôle de tête... Mais enfin, parle ! Qu'est-ce que tu caches donc ? Parle, quoi !

Elle était tendue, douloureuse, davantage étreinte

par la douleur que par la colère. Son regard exprimait une immense peur.

— C'est toi qui avais raison, murmura-t-il... Faut penser à elle, pas trop à nous.

Il avait dit cela sans bien réfléchir. Il se sentait pris, obligé de parler, d'improviser ce qu'il s'était refusé à préparer. Isabelle fonça les sourcils en criant :

— Si je comprends bien, ça signifie qu'on n'est pas à la veille de la voir arriver !

Il redoutait sa colère. Il ne savait comment s'y prendre pour ne pas l'irriter davantage. Il s'énervait à chercher ses mots et, maladroitement, il dit :

— Nous n'avons pas le droit d'être égoïstes.

Le mot fit bondir Isabelle.

— C'est facile à dire, lança-t-elle, quand on est à ta place ! Tu l'as vue, toi ! Tu l'as vue et tu te moques des autres. Tu t'es toujours soucié de toi. Uniquement de toi... Mais moi je vais encore attendre des jours et des jours... Et tu oses parler d'égoïsme !

Denise commençait à sangloter. Elle dit d'une petite voix haut perchée et prête à se briser :

— Tu as de la chance, papa. Tu as pu la voir, toi !

Quantin les regardait. Oui, pour elles, il avait de la chance. Une sacrée chance ! Elles ne pouvaient pas se faire une idée de la chance qu'il avait. Plus il les regardait, plus il avait le sentiment de les voir ainsi pour la première fois. Elles n'avaient pas changé, la cuisine non plus n'avait pas changé, ni la nuit ni la maison dans cette nuit, mais c'était lui, Quantin, qui ne voyait plus avec les mêmes yeux.

— Est-ce qu'elle ne viendra pas au moins nous embrasser avant son départ pour Paris ? demanda Isabelle.

Presque sans effort, Quantin répondit :

— Elle est partie ce soir, quelques minutes avant moi.

— Alors, c'est vraiment une chance que tu sois arrivé assez tôt pour lui dire au revoir.

— Oui, vraiment.

Elles avaient tout préparé pour le réveillon. Le couvert était dressé pour quatre personnes. Les châtaignes entaillées emplissaient un grand saladier blanc, la poêle trouée attendait sur la pile de bûches.

Quantin s'approcha de la petite qui pleurait à gros sanglots, debout devant la crèche allumée. Il la prit par le cou et, lorsqu'elle leva la tête, il crut découvrir dans ses yeux une lueur de reproche. Il expliqua :

— Elle t'aime bien, tu sais, ta Marie-Louise. Elle pense bien à toi... Et je lui ai dit que tu as fait la crèche pour elle... Elle était contente, tu sais... Elle aurait bien voulu venir... Mais c'était impossible...

Il dut s'arrêter et détourner la tête. Des larmes lui piquaient les paupières, mais il ne voulait pas pleurer.

— Tu avoueras que c'est tout de même un monde ! cria Isabelle. Ils ne pouvaient pas lui donner au moins une journée, pour qu'elle vienne nous dire au revoir ? Elle a des drôles de patrons. Et un foutu métier ! Et toi, bien sûr, tu n'as pas su leur parler. Tu n'as même pas essayé de dire que j'étais malade. Ça t'aurait défrisé, de faire un tout petit mensonge. Tu ne sauras jamais mentir. Tu as tes principes... Tu ne sais te débrouiller qu'avec ta terre, tes bêtes, tes livres ridicules !

Isabelle parla longtemps ainsi. Tout se tournait contre Quantin. Il était seul responsable, et responsable de tout. Il était un monstre d'égoïsme et d'orgueil. Un monstre qu'elle finit par insulter.

Et Quantin ne répondait rien. Il n'avait rien à répondre. Au contraire, il lui semblait que cette colère d'Isabelle les soulageait autant l'un que l'autre. Elle lui criait des choses qu'il n'avait jamais osé murmurer et pourtant il eût pu prévoir tout ce qu'elle disait. Tout était naturel. Dans l'ordre des choses.

Il demeurait assis, les coudes sur les genoux, capable seulement de fixer la grille de fonte et les charbons vivants qu'elle retenait prisonniers.

26

La colère d'Isabelle finit par se fondre en une crise de larmes qui dura longtemps.

Quantin n'avait pas bougé, le regard soudé aux braises dont l'intensité lumineuse marquait les sautes de vent. Derrière lui, les femmes pleuraient toutes deux et leurs sanglots confondus se mêlaient à la plainte continue de la nuit.

La chatte qui était sortie lentement de dessous la cuisinière s'étira plusieurs fois, se lécha un moment, puis sauta sur les genoux de Quantin. Elle flaira longuement sa veste, son pantalon, son visage, puis s'étant frotté la tête contre son menton râpeux, elle tourna trois ou quatre fois sur place avant de se coucher en boule.

Peu à peu, le chagrin des femmes s'apaisait. Il était comme un orage qui s'éloigne insensiblement, avec des sursauts, de brefs retours et des soupirs mouillés. La bise que l'hiver déchirait à l'angle du toit reprenait le dessus. Il y avait quelques silences presque complets, où Quantin baissait les paupières essayant de chasser ce qui continuait de remeuer en lui.

Le temps allait-il se figer ? Est-ce que tout pouvait se cristalliser d'un coup, en une nuit sans aube ?

Après un silence plus prolongé, plus épais que les autres, la chaise d'Isabelle racla le sol. Son pas fit craquer les planches. Il approchait derrière Quantin.

— Veux-tu manger ? demanda-t-elle.

— Non, je n'ai pas faim.

— Tu devrais tout de même prendre quelque chose de chaud.

— Non, merci.

Quantin répondait sans penser à ce qu'il disait. Il regrettait seulement ce silence, cette présence de la nuit qu'il avait goûtés durant quelques minutes.

— Une assiette de soupe ne te fera pas de mal.

La voix de sa femme reprenait de l'autorité. Il leva la tête. Elle ne le remarqua même pas, occupée qu'elle était à ranimer le feu. La flamme ronfla sous la marmite. Lorsque Isabelle souleva le couvercle, une bonne odeur de lard fumé remplit la pièce. Quantin respira à petits coups pressés, la bouche inondée de salive.

— Allons, viens, dit sa femme.

Lorsqu'il s'assit à table, la soupe fumait déjà dans les assiettes. Ils commencèrent de manger sans parler, puis, d'une voix presque tranquille, Isabelle demanda :

— Explique-nous au moins comment tu l'as trouvée. Est-ce qu'elle est bien logée ? Est-ce que sa chambre est aussi belle qu'elle le disait ?

— Oh, oui. C'est très bien.

— Tu as pu coucher sur son divan ?

— Bien sûr.

— Est-ce qu'elle va la garder, cette chambre ? Est-ce qu'elle pense rester longtemps à Paris ?

Quantin hésita, mais finit par répondre :

— Elle a payé jusqu'à la fin du mois de janvier. Elle la garde jusque-là. Après, elle verra.

— Mais elle ne sait pas encore combien de temps elle va rester à Paris ?

— Non, pas encore.

Isabelle soupira, avala deux cuillerées de soupe et reprit son questionnaire :

— Vous avez mangé ensemble ?

— Oui.

— Où ça, au restaurant ?

— Oui.

Isabelle éleva soudain le ton :

— Enfin, parle, quoi ! C'est malheureux, il faut t'arracher les mots de la bouche.

— Je suis très fatigué, tu sais, très fatigué.

— Tu n'as pas pris froid, au moins ?

— Non.

— Tu n'es pas habitué à des maisons si chauffées. Est-ce qu'il fait très chaud, chez elle ?

— Assez, oui.

— Et le train, ça allait ?

— Oui, très bien.

Isabelle se tut. Leurs regards s'étaient croisés à trois reprises, mais chaque fois Quantin avait baissé la tête. Denise demanda :

— Sa maison, à Marie-Louise, est-ce qu'elle est toute petite, comme elle voulait ?

— Oui, toute petite.

— Et à Paris aussi, elle en aura une comme ça ?

— Oui, la même chose.

Quantin avait terminé sa soupe. Repoussant sa chaise, il dit qu'il voulait aller voir ses bêtes.

— Reste donc tranquille, lança Isabelle. Les bêtes sont soignées. Elles n'endurent pas. Tu les verras demain matin.

Quantin se leva et retourna s'asseoir près du fourneau. Il y eut encore un long silence, puis un soupir douloureux d'Isabelle qui dit :

— On a beau savoir que c'est pour elle, pour son avenir, c'est tout de même dur à avaler... Pour une mère, c'est dur, tu sais.

Elle n'était pas encore sortie de son chagrin. Sa voix avait des tremblements inquiétants et Quantin redoutait de nouvelles larmes. Il sentait la nécessité de lui venir en aide, mais c'était difficile.

— Il faut comprendre, expliqua-t-il. Là-bas, la vie n'est pas comme ici... C'est l'horloge qui mène tout... La ville, tu sais, faut y vivre pour se rendre compte.

La chatte revint s'installer sur les genoux de Quantin. Isabelle remit une bûche dans le foyer, et le crépitement du feu soudain réveillé fit vivre la nuit durant un long moment.

— Et l'instituteur, demanda Isabelle, est-ce qu'elle t'en a causé ?

— Oui.

— Alors ?

— Eh bien... Elle a... elle a d'autres projets.

Quantin comprit que ces simples mots permettaient à sa femme de s'éloigner un peu de son chagrin. Il lui sembla aussi qu'une lumière plus claire passait dans les yeux de la petite.

— Alors, faudra le voir, expliqua Isabelle. Faudra lui dire une bonne fois pour toutes. Faut qu'il nous fiche enfin la paix, avec ses idées stupides. S'il veut venir nous voir, qu'il vienne. Ce n'est sûrement pas un mauvais bougre, mais qu'il ne continue pas de nous embêter avec ça !

Quantin soupira, se racla la gorge et dit lentement :

— Je l'ai rencontré, en remontant de la gare. Je lui ai tout expliqué.

— Et alors ?

— Que veux-tu, le pauvre garçon m'a fait pitié.

— Il se consolera, va ! On n'a jamais vu personne mourir de ça.

Isabelle avait peu à peu retrouvé sa fermeté de voix. Quantin plongea de nouveau tout au fond de lui. Il y retrouva un visage fané, mais jamais oublié. Malgré lui, il regarda sa femme sans pour cela que le visage retrouvé ne quittât sa vision. Bien sûr, on se console. Et puis, il y a la vie. Celle de tous les jours, avec son fardeau de peines et de petites joies. La vie qui peut remplacer bien des choses.

— Tu sais, dit-il, il ne reviendra sans doute pas nous voir. Il ne voudra pas revenir ici...

Quantin s'interrompit. Denise venait d'éclater en sanglots. Isabelle parut irritée, puis, se ressaisissant, elle s'approcha de la petite en disant :

— Pleure plus. Elle viendra cet été, ta Marie-Louise. Elle va être bien, tu sais, à Paris. Et un jour, elle t'emmènera, elle te fera tout visiter.

Quantin aussi voulut consoler la petite, mais elle avait pour lui des regards de reproches. Il comprit qu'elle allait sans doute pleurer longtemps, et que ce n'était plus à cause du départ de sa sœur qu'elle avait tant de chagrin.

Il l'avait attirée près de lui. Elle s'assit sur ses genoux, mais elle se tenait un peu raide. Il y avait longtemps qu'il ne l'avait pas prise ainsi. Elle était trop grande, il se sentait maladroit avec elle.

Pourtant, il se mit à lui parler de Marie-Louise. Tout doucement, en cherchant ses mots, il essayait d'imaginer pour elle une existence qu'il tentait de montrer à la petite. Il peina longtemps puis, peu à peu, il se mit à raconter plus facilement, avec assez de détails, tout le temps qu'il avait passé à Lyon, en compagnie de Marie-Louise.

Il décrivait le salon où elle travaillait, sa maison, sa chambre, les rues aux lumières de Noël. A mesure qu'il parlait, sa voix s'affermissait. Il parlait sans effort, comme s'il eût réellement raconté un merveilleux voyage.

Et les femmes l'écoutaient. De loin en loin, Isabelle approuvait. Son regard, d'abord moins triste, se teinta vite d'une lueur de fierté. Après un long moment, elle finit par dire :

— Tout de même, tu sais, on est toujours à se plaindre, mais c'est quelque chose, d'avoir une fille comme elle. Travailleuse. Intelligente comme ça. Et capable de se faire une situation... C'est quelque chose, tu sais...

Quantin soupira profondément. Levant les yeux, il comprit qu'Isabelle n'était plus là ; à son tour, elle était partie rejoindre sa fille, dans un monde qu'elle devait imaginer merveilleux.

27

Ce matin, en se levant, Quantin est allé voir les bêtes. Tout était en ordre. Il a mené son travail, la tête un peu vide. Sortir le fumier, descendre de la paille, refaire la litière, donner du foin, de l'eau, ce sont des choses que les bras peuvent faire sans que la tête intervienne réellement.

Il avait ses vêtements habituels où se retrouvent, atténuées et fondues, les mille senteurs de la ferme. Dans l'écurie, il faisait une bonne chaleur pleine de vie et de l'odeur des bêtes.

Après la besogne de l'écurie, il a allumé le feu, puis tracé les sentiers dans la neige pour aller jusqu'au fumier et à la réserve de maïs. Il faisait à peine clair. Tout le fond de la plaine dormait, baigné de nuit. Mais, à l'opposé, une lueur à peine colorée coulait sur la neige, descendant comme une source du faîte de la colline où elle suintait entre la cime du bois et le ciel bas, lourd nuage uniformément gris.

Lentement, le jour a filtré à travers la pénombre, venu bien davantage de la neige que du ciel. Quantin a suivi ce lent combat comme jamais, peut-être, il ne l'avait encore fait. Il lui semblait qu'un temps nouveau se frayait un chemin jusqu'à lui, jusqu'à cette maison prise dans l'hiver comme un bateau dans la banquise.

Une fois le jour levé, Quantin a regagné la cuisine.

Maintenant, il se tient immobile devant la fenêtre. Il regarde le chemin où il n'y a même plus les traces qu'il a laissées cette nuit, en rentrant.

Toutes les traces ont disparu. Celles du facteur, celles de l'instituteur, celles du départ et du retour de Quantin. Cette nuit, l'hiver a soufflé sur la terre pour faire disparaître le passé, pour enfoncer un peu plus ce coin du monde dans le froid et la solitude.

— Quand il neige de bise, il neige à sa guise !

Lorsque l'homme a dit cela, il y avait seulement une couche de neige un peu moins épaisse.

Quantin soupire.

Est-ce que le temps, comme fait la neige aidée du vent, peut effacer certains souvenirs ?

Quantin ne veut pas penser. Il fixe le chemin tout blanc, la prairie toute blanche, le bois tout gris dans son lointain, et le ciel qui paraît, ce matin, posé tout de suite après les derniers contreforts, là où commence la plaine infinie. On ne devine même pas la ville.

Derrière Quantin, les femmes vont et viennent. La porte s'ouvre et se referme sur la cour. Chaque fois, une bouffée d'hiver entre, qui passe entre les jambes de Quantin comme un gros chien au poil glacé, et qui s'en va ensuite attiser le feu. C'est étrange, cette façon que prend l'hiver, à certains moments, d'entrer ici et de siffler sa colère dès qu'il a flairé l'odeur des braises rouges.

Isabelle vient de sortir avec ses deux chaudrons fumants, et la pièce demeure toute pleine d'une bonne odeur de pommes de terre et de son. Quantin en aspire de longues goulées en pensant à la ville, à cette puanteur des rues, à la fumée d'essence qui pique les yeux et prend à la gorge. Là-bas, même le vent se salit. Et ça paraît pourtant impossible, lorsqu'on l'entend siffler pur et clair dans les fils de fer de la treille.

Depuis qu'Isabelle est sortie, il n'y a plus, dans la cuisine, que le grognement de l'âtre. Quantin sent que Denise est derrière lui. Il la devine, figée devant la crèche. Il reste longtemps immobile, avec, en lui, l'envie de se retourner mais aussi le désir de se laisser pénétrer encore par le calme qui monte du dehors. Ce matin, il parvient à ne plus penser, à ne plus chercher à revenir sur ce qui s'est passé depuis deux jours. Il est là, debout, comme ouvert à cette lumière impalpable, à ce silence qui sont tellement présents que plus rien d'autre ne peut parvenir jusqu'à lui.

Il se retourne. Il marche lentement jusqu'à Denise. Elle lève la tête vers lui et il lit dans ses yeux ce qu'elle va demander. Mais il devine aussi son embarras, la peine qu'elle éprouve à trouver ses mots.

— Papa, dit-elle enfin, elle viendra, cet été, notre Marie-Louise ?

— Bien sûr, mon petit, elle viendra comme l'an dernier, au moment des vacances.

— Est-ce qu'on laissera la crèche, pour qu'elle puisse la voir ?

Quantin approuve d'un hochement de tête. Le regard de la petite s'est éclairé, mais un faible voile de reproche l'assombrit encore. Après bien des hésitations, elle finit par demander, presque à voix basse :

— L'instituteur, c'est vrai, qu'il ne viendra plus nous voir ?

Quantin sait fort bien que le garçon ne remontera pas ici. Il en éprouve à la fois de la peine et un certain soulagement. Il y a trop d'espoir dans les yeux de sa fille pour qu'il puisse le détruire d'un mot, mais il sait que mieux vaut pour elle une attente qui finira par tout embrumer sans heurt. Il sait que le temps est le seul allié de ceux qui ont une plaie au cœur. Il lui suffit de regarder en lui, de chercher un certain visage, pour s'en convaincre. Presque gai, il répond :

— Bien sûr, qu'il viendra nous voir ! Seulement, tu comprends, il faut laisser passer quelques jours, quelques semaines peut-être.

Cette fois, les yeux de Denise brillent. Son visage se détend pour un vrai sourire qui réchauffe tout d'abord le cœur de Quantin, mais qui, dès qu'il se reprend, lui fait très mal. Il s'approche d'elle, caresse un moment ses cheveux raides, avant de la pousser doucement vers la table en disant :

— Denise, mon petit, tu n'as pas encore enlevé ton bol. Dépêche-toi, et tu essuieras la table avant que maman revienne de la grange.

Elle prend son bol qu'elle porte sur l'évier de pierre, puis, revenant avec le torchon, elle demande :

— Papa, dis-moi encore ce que vous avez fait hier, avec Marie-Louise ?

Quantin retourne se planter devant la fenêtre. La buée s'est déjà reformée sur la vitre qu'il avait nettoyée et qu'il doit essuyer de nouveau.

Le jour a cessé d'avancer. Il s'est immobilisé là, pris lui aussi par le grand gel. Seule demeure en mouvement la bise qui malmène quelques flocons affolés. Les a-t-elle arrachés au ciel ou à la terre ? Ils passent devant la fenêtre, hésitant parfois contre la vitre comme des papillons éblouis, puis ils repartent et vont se perdre en direction du village.

Quantin regagne sa chaise, près du fourneau. Il tisonne le feu endormi qui sursaute. Dès qu'il est immobile, la chatte monte sur ses genoux. Denise a essuyé la moitié de la table, mais elle reste figée. Sa main gauche à demi fermée sur les miettes qu'elle vient de recueillir est devant sa poitrine, comme pour une aumône demandée à regret.

— Papa, murmure-t-elle, parle-moi encore de Marie-Louise...

Les yeux fixés sur la grille du foyer, Quantin hésite un moment, il cherche ses premiers mots. Il a du mal à les trouver et pourtant, il sait que derrière eux les autres viendront facilement.

Quantin lui fait signe d'achever sa besogne, puis, sans attendre, il commence de raconter.

Et il parle. Il parle sans difficulté, en suivant du regard les gestes lents et appliqués de la petite qui pousse les miettes sur la toile cirée, contournant de son torchon le dessin compliqué de chaque bouquet de fleurs.

Enfin, lorsqu'elle a terminé, posé son torchon et jeté ses miettes dans une marmite, elle se dirige vers le buffet. Quantin sait qu'elle est devant le portrait de Marie-Louise, ce portrait qu'il fuit depuis ce matin, mais dont il retrouve partout le sourire et le regard un peu tristes.

Chelles,
17 juin 1965.

Littérature

extrait du catalogue

Cette collection est d'abord marquée par sa diversité : classiques, grands romans contemporains ou même des livres d'auteurs réputés plus difficiles, comme Borges, Soupault, Goes. En fait, c'est tout le roman qui est proposé ici, Henri Troyat, Bernard Clavel, Guy des Cars, Alain Robbe-Grillet, mais aussi des écrivains tels que Moravia, Colleen McCullough ou Konsalik.

Les classiques tels que Stendhal, Maupassant, Flaubert, Zola, Balzac, etc. sont publiés en texte intégral au prix le plus bas de toute l'édition. Chaque volume est complété par un cahier photos illustrant la biographie de l'auteur.

ADAMS Richard	Les garennes de Watership Down 2078******
ADLER Philippe	C'est peut-être ça l'amour 2284***
AMADOU Jean	Heureux les convaincus 2110***
ANDREWS Virginia C.	Fleurs captives :
	- Fleurs captives 1165****
	- Pétales au vent 1237****
	- Bouquet d'épines 1350****
	- Les racines du passé 1818****
	Ma douce Audrina 1578****
APOLLINAIRE Guillaume	Les onze mille verges 704*
	Les exploits d'un jeune don Juan 875*
AUEL Jean-M.	Les chasseurs de mammouths 2213***** & 2214*****
AVRIL Nicole	Monsieur de Lyon 1049***
	La disgrâce 1344***
	Jeanne 1879***
	L'été de la Saint-Valentin 2038**
	La première alliance 2168***
BACH Richard	Jonathan Livingston le goéland 1562* illustré
	Illusions 2111**
	Un pont sur l'infini 2270****
BALTASSAT Jean-Daniel	La falaise 2345**
BALZAC Honoré de	Le père Goriot 1988**
BARBER Noël	Tanamera 1804**** & 1805****
BATS Joël	Gardien de ma vie 2238*** illustré
BAUDELAIRE Charles	Les Fleurs du mal 1939**
BEAULIEU PRESLEY Priscillia	Elvis et moi 2157**** illustré

BENZONI Juliette	Marianne 601 **** & 602 ****
	Un aussi long chemin 1872 ****
	Le Gerfaut :
	- Le Gerfaut 2206 ******
	- Un collier pour le diable 2207 ******
	- Le trésor 2208 *****
	- Haute-Savane 2209 *****
BLOND Georges	Moi, Laffite, dernier roi des flibustiers 2096 ****
BOLT Robert	Mission 2092 ***
BOMSEL M.-C. & QUERCY A.	Pas si bêtes 2331 *** illustré
BORGES & BIOY CASARES	Nouveaux contes de Bustos Domecq 1908 ***
BOVE Emmanuel	Mes amis 1973 ***
BOYD William	La croix et la bannière 2139 ****
BRADFORD Sarah	Grace 2002 ****
BREILLAT Catherine	Police 2021 ***
BRISKIN Jacqueline	La croisée des destins 2146 ******
BROCHIER Jean-Jacques	Odette Genonceau 1111 *
	Villa Marguerite 1556 **
	Un cauchemar 2046 **
BURON Nicole de	Vas-y maman 1031 **
	Dix-jours-de-rêve 1481 ***
	Qui c'est, ce garçon ? 2043 ***
CALDWELL Erskine	Le bâtard 1757 **
CARS Guy des	La brute 47 ***
	Le château de la juive 97 ****
	La tricheuse 125 ***
	L'impure 173 ****
	La corruptrice 229 ***
	La demoiselle d'Opéra 246 ***
	Les filles de joie 265 ***
	La dame du cirque 295 **
	Cette étrange tendresse 303 ***
	La cathédrale de haine 322 ***
	L'officier sans nom 331 **
	Les sept femmes 347 ****
	La maudite 361 ***
	L'habitude d'amour 376 **
	La révoltée 492 ****
	Amour de ma vie 516 ***
	Le faussaire 548 ****
	La vipère 615 ****
	L'entremetteuse 639 ****
	Une certaine dame 696 ****

es CARS (suite)	***L'insolence de sa beauté*** 736 ★★★
	L'amour s'en va-t-en guerre 765 ★★
	Le donneur 809 ★★
	J'ose 858 ★★
	De cape et de plume 926 ★★★ & 927 ★★★
	Le mage et le pendule 990 ★
	La justicière 1163 ★★
	La vie secrète de Dorothée Gindt 1236 ★★
	La femme qui en savait trop 1293 ★★
	Le château du clown 1357 ★★★★
	La femme sans frontières 1518 ★★★
	Le boulevard des illusions 1710 ★★★
	Les reines de cœur 1783 ★★★
	La coupable 1880 ★★★
	L'envoûteuse 2016 ★★★★★
	Le faiseur de morts 2063 ★★★
	La vengeresse 2253 ★★★
	Sang d'Afrique 2291 ★★★★★
ARS Jean des	***Sleeping story*** 832 ★★★★
	Louis II de Bavière 1633 ★★★
	Elisabeth d'Autriche (Sissi) 1692 ★★★★
ASTELOT André	***Belles et tragiques amours de l'Histoire*** 1956 ★★★★ & 1957 ★★★★
ASTRIES duc de	***Madame Récamier*** 1835 ★★★★
ATO Nancy	***L'Australienne*** 1969 ★★★★ & 1970 ★★★★
	Les étoiles du Pacifique 2183 ★★★★ & 2184 ★★★★
ESBRON Gilbert	***Chiens perdus sans collier*** 6 ★★
	C'est Mozart qu'on assassine 379 ★★★
HASTENET Geneviève	***Marie-Louise*** 2024 ★★★★★
HAVELET É. & DANNE J. de	***Avenue Foch*** 1949 ★★★
HOW CHING LIE	***Le palanquin des larmes*** 859 ★★★
	Concerto du fleuve Jaune 1202 ★★★
LANCIER Georges-Emmanuel	Le pain noir :
	1- Le pain noir 651 ★★★
	2- La fabrique du roi 652 ★★★
	3- Les drapeaux de la ville 653 ★★★★
	4- La dernière saison 654 ★★★★
LAUDE Madame	***Le meilleur c'est l'autre*** 2170 ★★★
VEL Bernard	***Lettre à un képi blanc*** 100 ★
	Le tonnerre de Dieu 290 ★
	Le voyage du père 300 ★
	L'Espagnol 309 ★★★★

	Malataverne 324 ★
	L'hercule sur la place 333 ★★★
	Le tambour du bief 457 ★★
	Le massacre des innocents 474 ★
	L'espion aux yeux verts 499 ★★★
	La grande patience :
	- La maison des autres 522 ★★★★
	- Celui qui voulait voir la mer 523 ★★★★
	- Le cœur des vivants 524 ★★★★
	- Les fruits de l'hiver 525 ★★★★
	Le Seigneur du Fleuve 590 ★★★
	Victoire au Mans 611 ★★
	Pirates du Rhône 658 ★★
	Le silence des armes 742 ★★★
	Tiennot 1099 ★★
	Les colonnes du ciel :
	- La saison des loups 1235 ★★★
	- La lumière du lac 1306 ★★★★
	- La femme de guerre 1356 ★★★
	- Marie Bon Pain 1422 ★★★
	- Compagnons du Nouveau-Monde 1503 ★★★
	L'homme du Labrador 1566 ★★
	Terres de mémoire 1729 ★★
	Bernard Clavel, qui êtes-vous ? 1895 ★★
	Le Royaume du Nord :
	- Harricana 2153 ★★★★
	- L'Or de la terre 2328 ★★★★
CLERC Michel	*Les hommes mariés* 2141 ★★★
COCTEAU Jean	*Orphée* 2172 ★★
COLETTE	*Le blé en herbe* 2 ★
COLLINS Jackie	*Les dessous de Hollywood* 2234 ★★★★ & 2235 ★★★★
CORMAN Avery	*Kramer contre Kramer* 1044 ★★★
COUSSE Raymond	*Stratégie pour deux jambons* 1840 ★★
DANA Jacqueline	*L'été du diable* 2064 ★★★
DARLAN Eva	*Le Journal d'une chic fille* 2211 ★★★
DAUDET Alphonse	*Tartarin de Tarascon* 34 ★
	Lettres de mon moulin 844 ★
DAVENAT Colette	*Les émigrés du roi* 2227 ★★★★★★
DEFLANDRE Bernard	*La soupe aux doryphores* 2185 ★★★★
DHÔTEL André	*Le pays où l'on n'arrive jamais* 61 ★★
DIDEROT	*Jacques le fataliste* 2023 ★★★

JIAN Philippe	***37°2 le matin*** 1951 ★★★★
	Bleu comme l'enfer 1971 ★★★★
	Zone érogène 2062 ★★★★
	Maudit manège 2167 ★★★★★
ORIN Françoise	***Les lits à une place*** 1369 ★★★★
	Les miroirs truqués 1519 ★★★★
	Les jupes-culottes 1893 ★★★★
OS PASSOS John	***Les trois femmes de Jed Morris*** 1867 ★★★★
UMAS Alexandre	***La dame de Monsoreau*** 1841 ★★★★★
	Le vicomte de Bragelonne 2298 ★★★★ & 2299 ★★★★
UTOURD Jean	***Henri ou l'éducation nationale*** 1679 ★★★
YE Dale A.	***Platoon*** 2201 ★★★
ZAGOYAN René	***Le système Aristote*** 1817 ★★★★
GAN Robert & Louise	***La petite boutique des horreurs*** 2202 ★★★ illustré
KBRAYAT Charles	***Le Château vert*** 2125 ★★★★
EUILLÈRE Edwige	***Moi, la Clairon*** 1802 ★★
LAUBERT Gustave	***Madame Bovary*** 103 ★★★
RANCOS Ania	***Sauve-toi, Lola !*** 1678 ★★★★
RISON-ROCHE	***La peau de bison*** 715 ★★
	La vallée sans hommes 775 ★★★
	Carnets sahariens 866 ★★★
	Premier de cordée 936 ★★★
	La grande crevasse 951 ★★★
	Retour à la montagne 960 ★★★
	La piste oubliée 1054 ★★★
	La Montagne aux Écritures 1064 ★★★
	Le rendez-vous d'Essendilène 1078 ★★★
	Le rapt 1181 ★★★★
	Djebel Amour 1225 ★★★★
	La dernière migration 1243 ★★★★
	Le versant du soleil 1451 ★★★★ & 1452 ★★★★
	Nahanni 1579 ★★★ illustré
	L'esclave de Dieu 2236 ★★★★★★
ALLO Max	*La baie des Anges :*
	1- La baie des Anges 860 ★★★★
	2- Le palais des Fêtes 861 ★★★★
	3- La promenade des Anglais 862 ★★★★
EDGE Pauline	***La dame du Nil*** 1223 ★★★ & 1224 ★★★
	Les Enfants du Soleil 2182 ★★★★★
ERBER Alain	***Une rumeur d'éléphant*** 1948 ★★★★★
	Le plaisir des sens 2158 ★★★★
	Les heureux jours de Monsieur Ghichka 2252 ★★

Littérature

GOES Albrecht	*Jusqu'à l'aube* 1940 ★★★
GRAY Martin	*Le livre de la vie* 839 ★★
	Les forces de la vie 840 ★★
	Le nouveau livre 1295 ★★★★
GRÉGOIRE Ménie	*Tournelune* 1654 ★★★
GROULT Flora	*Maxime ou la déchirure* 518 ★★
	Un seul ennui, les jours raccourcissent 897 ★★
	Ni tout à fait la même, ni tout à fait une autre 1174 ★★
	Une vie n'est pas assez 1450 ★★★
	Mémoires de moi 1567 ★★
	Le passé infini 1801 ★★
	Le temps s'en va, madame... 2311 ★★
GUERDAN René	*François Ier* 1852 ★★★★★
GUIGNABODET Liliane	*Dessislava* 2265 ★★★★
GUIROUS D. & GALAN N.	*Si la Cococour m'était contée* 2296 ★★★★ illust.
GURGAND Marguerite	*Les demoiselles de Beaumoreau* 1282 ★★★
HALÉVY Ludovic	*L'abbé Constantin* 1928 ★★
HALEY Alex	*Racines* 968 ★★★★ & 969 ★★★★
HARDY Françoise	*Entre les lignes entre les signes* 2312 ★★★★★★
HAYDEN Torey L.	*L'enfant qui ne pleurait pas* 1606 ★★★
	Kevin le révolté 1711 ★★★★
HÉBRARD Frédérique	*Un mari c'est un mari* 823 ★★
	La Chambre de Goethe 1398 ★★★
	La Citoyenne 2003 ★★★
ISHERWOOD Christopher	*Adieu à Berlin (Cabaret)* 1213 ★★★
JAGGER Brenda	*Les chemins de Maison Haute* 1436 ★★★★ & 1437 ★★★
	Retour à Maison Haute 2169 ★★★★★
JEAN-CHARLES	*La foire aux cancres* 1669 ★★
	Tous des cancres 1909 ★★
JONG Erica	*Le complexe d'Icare* 816 ★★★★
	La planche de salut 991 ★★★★
	Fanny Troussecottes-Jones 1358 ★★★★ & 1359 ★★★
	Les parachutes d'Icare 2061 ★★★★★★
KAYE M.M.	*Pavillons lointains* 1307 ★★★★ & 1308 ★★★★
	L'ombre de la lune 2155 ★★★★ & 2156 ★★★★
KENEALLY Thomas	*La liste de Schindler* 2316 ★★★★★★
KIPLING Rudyard	*Le livre de la jungle* 2297 ★★
	Simples contes des collines 2333 ★★★
KOESTLER Arthur	*Spartacus* 1744 ★★★★

KONSALIK Heinz G.	*Amours sur le Don* 497 *****
	Brûlant comme le vent des steppes 549 ****
	La passion du Dr Bergh 578 ***
	Dr Erika Werner 610 ***
	Aimer sous les palmes 686 **
	L'or du Zephyrus 817 **
	Les damnés de la taïga 939 ****
	L'homme qui oublia son passé 978 **
	Une nuit de magie noire 1130 **
	Le médecin de la tsarine 1185 **
	Natalia 1382 ***
	Le mystère des Sept Palmiers 1464 ***
	L'héritière 1653 **
	Bataillons de femmes 1907 *****
	Le gentleman 2025 ***
	Un mariage en Silésie 2093 ****
	Coup de théâtre 2127 ***
	Clinique privée 2215 ***
	Quadrille 2229 **
	La nuit de la tentation 2281 ***
	La guérisseuse 2314 ******
KRANTZ Judith	*Princesse Daisy* 1211 **** & 1212 ****
AMALLE Jacques	*L'Empereur de la faim* 2212 *****
ANE Robert	*Une danse solitaire* 2237 ***
ANGE Monique	*Histoire de Piaf* 1091 *** illustré
APEYRE Patrick	*Le corps inflammable* 2313 ***
APOUGE Gilles	*La bataille de Wagram* 2269 ****
ASAYGUES Frédéric	*Vache noire, hannetons et autres insectes* 2268 ***
E NABOUR Éric	*Le Régent* 2098 ****
ESPARRE Christiane	*L'appartement* 2126 *****
'HÔTE Jean	*La Communale* 2329 **
OTTMAN Eileen	*Dynasty* 1697 **
	Dynasty (Le retour d'Alexis) 1894 ***
OWERY Bruce	*La cicatrice* 165 *
IAALOUF Amin	*Les croisades vues par les Arabes* 1916 ****
IcCULLOUGH Colleen	*Les oiseaux se cachent pour mourir* 1021 **** & 1022 ****
	Tim 1141 ***
	Un autre nom pour l'amour 1534 ****
	La passion du Dr Christian 2250 ******
IAHIEUX Alix	*Coulisses* 2108 *****
IARKANDAYA Kamala	*Le riz et la mousson* 117 **

Impression Brodard et Taupin
à La Flèche (Sarthe) le 20 mai 1988
6492-5 Dépôt légal mai 1988
ISBN 2-277-11300-X
1er dépôt légal dans la collection : mars 197
Imprimé en France
Editions J'ai lu
27, rue Cassette, 75006 Paris
diffusion France et étranger : Flammarion